pied noir

Harki - traitor

beur

FLN - patriotic Algeria

litterature post-colonial

Le Gone du Chaaba.

A Paris !

ISBN 2-87027-480-7
Dépôt légal D/1638/1993/13

Honoré de Balzac

A Paris !

Préface
de Roger Caillois

Le Regard Littéraire

Éditions Complexe

PRÉFACE

Balzac
et le mythe de Paris

par
Roger Caillois

Balzac admet un des premiers l'existence de mythes modernes. Il en reconnaît le premier l'importance. Peut-être même est-il le créateur de l'expression. Il l'emploie dans *La Vieille fille,* quand il affirme que les mythes modernes sont encore moins compris que les mythes anciens et quand il soutient que leur puissance est encore plus considérable. Ces mythes contemporains ne sont pas sentis comme imaginaires ; ils apparaissent au contraire à l'imagination comme une sorte de réalité indiscutable. On y croit. Ils font partie de la somme d'images que chacun accepte sans même y penser. Parmi celles-ci, figure justement une représentation fantasmagorique de Paris, plus généralement de la grande ville, que les romans de Balzac ont très particulièrement contribué à mettre en circulation. Précisée et répandue par le livre, elle est assez impressionnante néanmoins pour faire partie de la sensibilité collective et posséder par suite une certaine force de suggestion, sinon de contrainte. C'est d'ailleurs à ce titre qu'on peut parler à son sujet de représentation mythique.

Les romans de Balzac sont écrits au moment où les capitales prennent soudain les dimensions de l'apparence qu'on leur connaît aujourd'hui. Leur population décuple, leurs immeubles se multiplient et se compliquent. Les premiers grands magasins sont créés *(La Fille mal gardée, Les Deux magots, Le Diable boiteux),* le monde des affaires, des finances, de l'industrie se développe avec une extraordinaire rapidité et en quelques années acquiert une énorme importance. En 1816, à la Bourse, 7 valeurs sont cotées, plus de 200 en 1847. C'est l'époque où se constituent les fortunes des Rothschild, des Fould, des Péreire. Cependant la prolétarisation produit ses premiers drames. Ces diverses nouveautés aboutissent à une transformation totale du décor urbain et font de la grande ville moderne le lieu d'élection de toutes les aventures, de toutes les tragédies que les écrivains projetaient autrefois dans un passé stylisé ou dans des contrées mal connues. Le héros y est exposé à toutes sortes de périls. Le passant qu'il croise est peut-être un ennemi déguisé. La lettre qu'il reçoit l'attire dans quelque piège. De même, c'est dans la grande ville que les passions sont les plus variées, les plus ardentes, les plus complexes. Dans les faits divers, les journaux apportent chaque matin au romancier leurs conséquences affreuses ou sublimes. Un héroïsme inédit s'y manifeste dont il lui appartient de révéler la grandeur quotidienne.

Cette promotion du décor urbain à la qualité épique, plus exactement cette exaltation subite dans le sens du fantastique de la peinture réaliste d'une cité bien définie, la plus intégrée qui soit dans l'existence même des lecteurs, n'a pas échappé à l'attention des historiens de la littérature. On la constate dans la première moitié du XIXe siècle, où soudain le ton s'élève sitôt que Paris est mis en scène. Le recul du temps et de l'espace n'est plus nécessaire au monde tragique pour qu'il apparaisse tel. La conversion est totale ; le monde des suprêmes grandeurs et des inexpiables déchéances, des violences et des mystères ininterrompus, le monde où, à tout instant, tout est partout possible, parce que l'imagination y a délégué d'avance et y situe aussitôt ses sollicitations les plus extraordinaires, ce monde n'est plus lointain, inaccessible et autonome : c'est celui où chacun passa sa vie.

Ce phénomène n'est pas seulement contemporain des débuts de la grande industrie et de la formation du prolétariat urbain. En France du moins, il est aussi une conséquence du rôle joué par Paris pendant la Révolution, lorsque les « journées » décidaient du sort de la Nation et que Paris imposait si fort à la Province sa volonté et la Terreur que les Girondins voulaient le réduire, comme ils disaient, à son 1/83e d'influence. L'œuvre de centralisation administrative, poursuivie sous l'Empire, fit le reste. Il parut que tout venait de Paris, que tout y aboutissait. Là seulement pouvait et devait s'accomplir ce qui prétendait à quelque portée, à quelque valeur, à quelque éclat. Dans le domaine purement littéraire, l'acclimatation du roman d'aventures, puis sa transformation en roman policier jouèrent dans le même sens. Si la Cité apparaît désormais pleine de périls et de surprises, c'est parce qu'on a transposé dans son décor, la *savane* et la *forêt* d'un Fenimore Cooper, où toute branche cassée signifie une inquiétude ou un espoir, où chaque tronc dissimule le fusil d'un ennemi ou l'arc d'un invisible et silencieux vengeur.

Tous les écrivains, Balzac le premier, ont nettement marqué cet emprunt et ont rendu loyalement à Cooper ce qu'ils lui devaient. Les ouvrages du type des *Mohicans de Paris* d'Alexandre Dumas, au titre significatif entre tous, sont des plus fréquents. Cette transposition est dûment établie, mais nul doute que le Roman Noir n'ait joué quelque rôle de son côté ; *Les Mystères de Paris* se souviennent parfois en effet des *Mystères du château d'Udolphe,* notamment par l'importance prépondérante des caves et des souterrains. Rapidement, la structure mythique se développe : à la cité innombrable s'oppose le héros légendaire destiné à la conquérir. De fait, il n'est guère d'ouvrages du temps qui ne contiennent quelque invocation inspirée à la capitale. Le cri célèbre de Rastignac est d'une discrétion inaccoutumée, encore que l'épisode comporte tous les traits habituels du thème. Les héros de Ponson du Terrail sont plus lyriques dans leurs inévitables discours à la « Babylone moderne » (on ne nomme plus Paris autrement) ; qu'on lise par exemple celui d'Armand de Kergaz dans les *Drames de Paris,* celui surtout du génie du mal, le faux Sir Williams, dans *Le Club des valets de cœur.*

«O Paris, Paris! Tu es la vraie Babylone, le vrai champ de bataille des intelligences, le vrai temple où le mal a son culte et ses pontifes, et je crois que le souffle de l'archange des ténèbres passe éternellement sur toi comme les brises sur l'infini des mers. O tempête immobile, océan de pierre, je veux être au milieu de tes flots en courroux cet aigle noir qui insulte à la foudre et dort souriant sur l'orage, sa grande aile étendue; je veux être le génie du mal, le vautour des mers, de cette mer la plus perfide et la plus tempétueuse, de celle où s'agitent et déferlent les passions humaines.»

Dans ces lignes où les hellénistes reconnaîtront avec surprise une des images les plus connues de Pindare, on croit percevoir *les paroles insensées, quoique pleines d'une infernale grandeur* du comte de Lautréamont.

En effet, c'est bien du même Paris qu'il s'agit, celui dont Eugène Sue avait décrit les tapis francs et peuplé les souterrains labyrinthiques de personnages aussitôt célèbres: le Chourineur, le prince Rodolphe, Fleur de Marie, le Maître d'école. Le décor de la ville participe au mystère: on se rappelle la lampe divine au bec d'argent, aux lueurs «blanches comme la lumière électrique» qui, dans les *Chants de Maldoror,* descend lentement la Seine en traversant Paris. Plus tard, à l'autre extrémité du cycle, dans *Fantômas,* la Seine connaîtra aussi vers le quai de Javel d'inexplicables lueurs errant dans ses profondeurs. Ainsi les mystères de Paris se perpétuent identiques à eux-mêmes : les mythes ne sont pas si fuyants qu'on croit.

Cependant, il paraît sans cesse de nouvelles œuvres dont la ville est le personnage essentiel et diffus, et le nom de Paris qui figure presque toujours dans le titre avertit assez que le public aime qu'il en soit ainsi [1]. Comment, dans ces conditions, ne se développerait-il pas en chaque lecteur la conviction intime, qu'on perçoit encore aujourd'hui, que le Paris qu'il connaît n'est pas le seul, n'est pas même le véritable, n'est qu'un décor brillamment éclairé, mais trop normal, dont les machinistes ne se découvriront jamais, et qui dissimule un autre Paris, le Paris réel, un Paris fantôme, nocturne, insaisissable, d'autant plus puissant qu'il est plus secret, et qui

---

[1] Il faut citer quelques titres. Je les extrais de la bibliographie établie par M. Régis Messac dans son ouvrage *Le « Détective Novel » et l'influence de la pensée scientifique* : 1841, H. Lucas, *Les prisons de Paris ;* 1842-1843, E. Sue, *Les Mystères de Paris ;* 1844, Vidocq, *Les Vrais Mystères de Paris ;* 1848, M. Alhoy, *Les Prisons de Paris ;* 1852-1856, X. de Montépin, *Les Viveurs de Paris ;* 1854, Alexandre Dumas, *Les Mohicans de Paris ;* 1862, P. Bocage, *Les Puritains de Paris ;* 1864, J. Claretie, *Les Victimes de Paris ;* 1867, Gaboriau, *Les Esclaves de Paris ;* 1874, X. de Montépin, *Les Tragédies de Paris ;* 1876, F. de Boisgobey, *Les Mystères du nouveau Paris ;* 1881, J. Claretie, *Le pavé de Paris ;* 1888, G. Aymard, *Les Peaux-Rouges de Paris,* etc... Il faudrait naturellement ajouter les titres du type *Les Mystères du Grand Opéra* de Léo Lespès (1843), où le nom de Paris n'est que suggéré, et ceux du type *Les Mystères de Londres* (Paul Féval, 1844), où il est seulement transposé.

vient à tout endroit et à tout instant se mêler dangereusement à l'autre ? Les caractères de la pensée enfantine, l'artificialisme en premier lieu, régissent cet univers étrangement présent ; rien ne s'y passe qui ne soit prémédité de longue date, rien n'y répond aux apparences, tout y est préparé pour être utilisé au bon moment par le héros tout-puissant qui en est le maître.

Chesterton signalait déjà en 1901 à quel point le roman policier a bénéficié de cette transfiguration de la vie moderne : « Cette conception de la grande cité elle-même comme une chose d'une étrangeté frappante a trouvé très certainement dans le roman policier son Iliade. Personne n'a pu s'empêcher de remarquer, que, dans ses histoires, le héros ou l'enquêteur traversent Londres avec une insouciance de leurs congénères et une liberté d'allures comparables à celles d'un prince de légende voyageant au pays des elfes. Au cours de cet aventureux voyage, le banal omnibus revêt les apparences antédiluviennes d'un navire enchanté. Voici que les lumières de la ville brillent comme les yeux d'innombrables farfadets, etc... »

Le roman policier n'est pas concevable sans le décor urbain. Celui-ci, en revanche, avait reçu une partie de son mystère de la création de la police secrète. Avec celle-ci, le combat entre l'ordre et le crime cesse d'être une lutte franche et bien circonscrite. Il déborde son domaine propre et fait irruption dans la vie de chacun. C'est précisément un roman de Balzac *Une ténébreuse affaire* qui permet le mieux de comprendre l'espèce de désarroi que jette dans les mœurs cette innovation diabolique, – la police invisible. Elle apporte avec elle un élément permanent de méfiance et d'insécurité. L'opinion est inquiète, sinon indignée. En Angleterre, quand, sous le ministère Peel, pour combattre une vague de criminalité, on propose au Parlement l'adoption de la police secrète, on s'écrie que mille meurtres de plus sont préférables à un pareil remède. Mais l'intérêt n'est pas moindre que l'horreur : il est passionnant, dans une fiction, de voir soudain se révéler comme un policier celui qu'on prenait à l'instant pour un professeur, un mendiant ou un horloger. L'imagination décuple la réalité. Balzac tient à rencontrer Vidocq et prête à son personnage de Vautrin quelques traits du forçat devenu chef de la police. Rien de plus significatif à cet égard que la façon dont Léon Gozlan s'extasie sur les qualités des limiers quand, à propos des relations de Balzac et de Vidocq, il rapporte dans quelle estime les tenait le romancier : « Il admirait surtout, dit-il, la divination des esprits subtils entre tous les esprits, qui ont le flair aigu du sauvage pour suivre à la piste un criminel sur l'induction la plus fugitive, sans induction même. Une voix leur parle. Ils sont saisis d'un tremblement nerveux comme l'hydroscope sur le rocher qui recouvre la nappe d'eau à cent pieds sous terre, et ils s'écrient : « Le crime est là : creusez, il y est. »

Quant aux *Mémoires* de Vidocq, tout apocryphes qu'ils sont, ils connaissent en librairie un succès exceptionnel et des plus symptomatiques. Il en sort les romans d'Eugène Sue et de Ponson du Terrail, *Les Mystères de Paris* et *Rocambole.* Il en sort aussi, pour une part, *Splendeurs et misères des courtisanes.* Il en était déjà sorti l'*Histoire des Treize,* dont on se rappelle assez la préface : « Il s'est rencontré sous l'Empire et dans Paris treize hommes également frappés du même sentiment, tous doués d'une assez grande énergie pour rester fidèles à la même pensée, ... assez profondément politiques pour dissimuler les liens sacrés qui les unissaient, assez forts pour se mettre au-dessus de toutes les lois, assez hardis pour tout entreprendre... » Leur chef avait présumé lui aussi, « que la société devait appartenir tout entière à des gens distingués qui, à leur esprit naturel, à leurs lumières acquises, à leur fortune, joindraient un fanatisme assez chaud pour fondre en un seul jet ces différentes forces ». Ils ressemblent aux Dandys à propos desquels Baudelaire pense à fonder une nouvelle espèce d'aristocratie « d'autant plus difficile à rompre qu'elle sera basée sur les facultés les plus précieuses, les plus indestructibles, et sur les dons célestes que le travail et l'argent ne peuvent conférer ». Eux aussi sont des gens « supérieurs, froids et railleurs », en outre « entraînés vers des jouissances asiatiques par des forces d'autant plus excessives que, longtemps endormies, elles se réveillaient plus furieuses ». Les deux écrivains, d'ailleurs, invoquent rigoureusement les mêmes exemples : La Société de Jésus et le Vieux de la Montagne. Balzac écrit en effet une *Histoire impartiale des Jésuites,* qu'il considère comme un hommage à « la plus belle Société qui jamais ait été formée ». Et il compare *aux ambitieux et humbles sectaires* du chef des Hachischin ses treize associés mythiques qui jouissent du « bonheur continu d'avoir un secret de haine en face des hommes » et qui tiennent sous leur mystérieux empire un Paris qu'il décrit à deux reprises au cours de son ouvrage, exactement en tête du premier et du troisième récit.

Au début de *Ferragus,* il donne de la capitale une sorte de portrait lyrique et physiognomonique. Il s'attache à définir la personnalité de chaque rue, les unes déshonorées, infâmes, les autres nobles ou simplement respectables. Il donne des exemples de rues assassines, travailleuses, mercantiles. A toutes il découvre des *qualités humaines.* Il aperçoit en Paris « le plus délicieux des monstres ». Et il précise aussitôt « Monstre complet d'ailleurs ! ». Il le peint s'éveillant : « Toutes les portes bâillent, tournent sur leurs gonds comme les membranes d'un grand homard, invisiblement manœuvrées par trente mille hommes ou femmes, dont chacune ou chacun vit dans six pieds carrés, y possède une cuisine, un atelier, un lit, des enfants, un jardin, n'y voit pas clair, et doit tout voir. Insensiblement les articulations craquent, le mouvement se communique, la rue parle. A midi, tout est vivant, les cheminées fument, le monstre mange ; puis il rugit, puis ses mille pattes s'agitent. Beau spectacle ! Mais, ô Paris ! qui n'a pas admiré tes sombres paysages, tes échappées de lumière, tes culs-de-sac profonds et silencieux ; qui n'a pas entendu tes murmures, entre minuit et deux heures du matin, ne connaît encore rien de ta vraie poésie, ni de tes bizarres et larges contrastes... » Son enthousiasme n'est pas à court d'expressions emphatiques : Paris est une « monstrueuse merveille, étonnant assemblage de mouvements, de machines et de pensées », la « tête du monde », « grande courtisane », « mouvante reine des cités, vêtue d'affiches et qui néanmoins n'a pas un coin de propre, tant elle est complaisante aux vices de la nation française ».

L'analyse qui ouvre *La Fille aux yeux d'or* est plus ambitieuse : ce n'est plus le décor qui intéresse l'auteur, mais les genres de vie, les passions, les rapports mutuels des diverses classes d'êtres qui composent la population d'une grande ville. Paris, cette fois, est « un vaste champ incessamment remué par une tempête d'intérêts sous laquelle tourbillonne une moisson d'hommes que la mort fauche plus souvent qu'ailleurs et qui renaissent toujours aussi serrés, dont les visages contournés, tordus, rendent par tous les pores l'esprit, les désirs, les poisons dont sont engrossés leurs cerveaux ; non pas des visages, mais bien des masques : masques de faiblesse, masques de force, masques de misère, masques de joie, masques d'hypocrisie ; tous exténués, tous empreints des signes ineffaçables d'une haletante avidité ». Paris déforme ses habitants, il modifie jusqu'au rythme de leur existence : la maturité leur est interdite. La cité les précipite sans intermédiaire de la jeunesse à la décrépitude.

Cette « nature sociale toujours en fusion » est un véritable enfer. Balzac souligne qu'il faut prendre l'expression à la lettre : « Tenez ce mot pour vrai », s'écrie-t-il, « là tout fume, tout brûle, tout brille, tout bouillonne, tout flambe, s'évapore, s'éteint, se rallume, étincelle, pétille et se consume ». Il fait alors un terrible tableau de l'existence menée par chacune des catégories sociales dans les différents cercles de cette géhenne. Il en dénonce admirablement la férocité sordide et l'infinie complication. Riches et pauvres, artistes et commerçants, ouvriers et avocats, autant d'espèces originales dont le romancier ne confond ni les mœurs ni les besoins. Mais cette civilisation nouvelle que la grande ville vient d'instaurer leur impose une double loi qui vaut pour tous : la recherche aveugle, avide et impatiente de l'or et du plaisir, clef de toutes les passions. C'est elle qui fait l'unité d'un tel univers et qui donne à ce « vaste atelier de jouissance » comme un privilège décisif et funeste : « Cette vue du Paris moral prouve que le Paris physique ne saurait être autrement qu'il n'est »... Et plus explicitement : « Donc le mouvement exorbitant des prolétaires, donc la dépravation des intérêts qui broient les deux bourgeoisies, donc les cruautés de la pensée artiste, et les excès du plaisir incessamment cherché par les grands expliquent la laideur normale de la physionomie parisienne. »

Balzac a très vivement ressenti la puissance et la singularité de ce milieu maléfique qu'il juge pestilentiel, au propre comme au figuré. C'est au point qu'il oppose, avec la constance que l'on sait, la province et Paris et qu'il introduit l'antagonisme des deux styles de vie jusque dans les rubriques de *La Comédie Humaine*. Toutefois il se passe ici la même chose que pour ses convictions politiques : conservateur, partisan de l'ordre, défenseur du trône et de l'autel, il exalte des ambitieux, des réfractaires, des aventuriers. Il maudit la monstruosité de Paris, mais comme elle l'obsède, il l'exagère et la rend séduisante. Il est séduit lui-même : Paris, selon sa propre expression, est la « ville aux cent mille romans ». Que peut souhaiter de plus un romancier ?

Il n'est pas seulement visionnaire. Ou plutôt sa vision est issue de l'observation la plus prosaïque qui soit. Sa géographie parisienne est infaillible. Il loge chaque fois ses héros dans le quartier qui leur convient et qu'il décrit alors avec autant de méticuleuse exactitude qu'il en apporte à peindre quelque gros bourg d'une tranquille province. C'en est fini des dithyrambes, des imprécations et des métaphores inspirées. Le contraste est frappant, mais il s'explique justement par la nature du mythe : Paris est une totalité. Il n'est fascinant qu'indivisible. Toute parcelle de Paris, considérée à part, redevient sur-le-champ provinciale et Balzac, la décrivant, écrivain réaliste. Seul l'incommensurable suborne assez la lucidité pour lui faire confondre fantaisie et réalité, c'est-à-dire pour faire accepter le mythe. Celui-ci, en effet, n'est pas un simple conte, une invention arbitraire, sans racine ni portée. Il lui faut, pour qu'il s'impose, pour qu'il «prenne», de solides assises et des conditions favorables. Il importe aussi qu'il exprime une situation donnée, qu'il propose une solution viable, une sorte de précédent prestigieux qui paraisse d'avance justifier une action tentante, téméraire, à laquelle résiste l'inertie sociale et que l'opinion tient pour coupable.

Le mythe balzacien de Paris semble encourager une sorte d'ambition froide et désabusée, incrédule, qui refuse les valeurs sociales et qui, en même temps, pousse l'ambitieux à tout sacrifier pour faire son chemin dans la société. Mais la volonté de puissance dont il le représente armé, se conjugue avec un détachement fondamental qui, au fond, la rend sans objet, et qui ruine d'avance la joie que le conquérant devrait pouvoir retirer de sa réussite. L'écrivain romantique prenait le parti de fuir la société qui l'écrase ou qui le bafoue: cette société sortie à la fois de la tourmente révolutionnaire et du progrès technique et qui est justement celle dont la grande ville constitue le symbole et la pointe. Aussi fait-elle horreur au poète, qui s'élève contre les valeurs et les hiérarchies qu'il y voit respecter. Il préfère la tour d'ivoire, le passé, la vie intérieure, la songerie, dans les cas extrêmes, la folie et le suicide. Le nouveau héros Julien Sorel, Rastignac ou Rubempré, adopte l'attitude inverse, il joue le jeu. Il est résolument moderne, il s'efforce de devenir le maître d'une société dont il refuse de reconnaître le code, mais à laquelle il découvre une incomparable poésie.

Balzac n'est pas le seul à s'engager dans cette voie. On sait quelle place tient chez un Baudelaire le concept de *modernité*. On ne s'étonnera pas de rencontrer en lui un partisan décidé de l'orientation qui se dessine. Il s'agit là pour lui, affirme-t-il, de la question «principale et essentielle», celle de savoir si son temps possède «une beauté particulière inhérente à des passions nouvelles». On connaît sa réponse. Ce sont précisément les lignes par lesquelles il rend à Balzac un éclatant hommage et qui constituent la fin de son écrit théorique le plus considérable du moins par son étendue, le *Salon* de 1846: «Le merveilleux nous enveloppe et nous abreuve comme l'atmosphère; mais nous ne le voyons pas... Car les héors de l'Iliade ne vont qu'à votre cheville, ô Vautrin, ô Rastignac, ô Birotteau, et vous, ô Fontanarès, qui n'avez pas osé raconter au public vos douleurs sous le frac funèbre et convulsionné que nous endossons tous – et vous, ô Honoré de Balzac, vous le plus héroïque, le plus singulier, le plus romantique et le plus poétique parmi tous les personnages que vous avez tirés de votre sein.»

C'est ainsi le premier état d'une théorie du caractère épique de la vie moderne, aux conséquences encore imprévisibles, mais que Baudelaire emploiera une partie de son œuvre à définir et dont les *Fleurs du mal* ne sont qu'une insuffisante illustration, peut-être un pis-aller aux yeux mêmes de leur auteur qui songe alors à écrire des romans (dont il n'a laissé que les titres) et qui confie à sa mère, en décembre 1847: «A partir du jour de l'an, je commence un nouveau métier — c'est-à-dire la création d'œuvres d'imagination pure — le Roman. Il est inutile que je vous démontre la gravité, la beauté et le côté infini de cet art-là... » Plus tard, il envisage de jurer que *Les Fleurs du mal* sont un « livre d'art pur », mais il prévient en même temps que, ce faisant, il mentira « comme un arracheur de dents ». On comprend alors dans quel esprit il invoque Balzac qui développe plus qu'un autre le mythe de Paris dans le sens baudelairien. Victor Hugo qui cède au courant à son tour en écrivant *Les Misérables,* épopée de Paris pour une notable part, lui non plus, ne voit pas un réaliste dans Balzac : « Tous ses livres », dit-il dans son discours sur la tombe du romancier, « ne forment qu'un livre, livre vivant, lumineux, profond, où l'on voit aller et venir, marcher et se mouvoir, avec je ne sais quoi d'effaré et de terrible mêlé au réel, toute notre civilisation contemporaine ». Baudelaire ne changera pas d'opinion à ce sujet : « J'ai maintes fois été étonné que la grande gloire de Balzac fût de passer pour un observateur. Il m'a toujours semblé que son principal mérite était d'être un visionnaire, et un visionnaire passionné ». Quand il établit pour son compte la théorie de l'héroïsme moderne, c'est bien d'ailleurs au Paris de Sue et de Balzac qu'il pense, mieux c'est déjà au fait divers qu'il fait appel : « Le spectacle de la vie élégante et des milliers d'existences flottantes qui circulent dans les souterrains d'une grande ville — criminels et filles entretenues — la *Gazette des Tribunaux* et *Le Moniteur* nous prouvent que nous n'avons qu'à ouvrir les yeux pour connaître notre héroïsme». Ce goût de la modernité va si loin que Baudelaire comme Balzac l'étend aux plus futiles détails de la mode et de l'habillement. Tous les deux les étudient en eux-mêmes et en font des questions morales et philosophiques, car ils représentent la réalité immédiate dans son aspect le plus aigu, le plus agressif, le plus irritant peut-être, mais aussi le plus généralement vécu. En outre, comme l'a fortement marqué E.-R. Curtius, ces détails vestimentaires manifestent «la transposition sur le mode capricieux et souriant de la lutte pathétique et violente que se livrent les forces nouvelles de l'époque.»

Il n'est pas difficile d'apercevoir que cette attention systématique à la vie contemporaine signifie d'abord une opposition aux caractères extérieurs du Romantisme: goût de la couleur locale, du pittoresque exotique, du moyen-âge, des ruines et des fantômes. Mais elle suppose aussi, plus profondément, une rupture radicale avec le mal du siècle, en tout cas la réforme du concept du héros maladif, rêveur et inadapté. En effet, en face de la ville mythique, *creuset des passions,* qui exalte et brise tour à tour les caractères bien trempés, il faut un héros énergique et tenace. «La destinée d'un homme fort est le despotisme», écrit Balzac, et un de ses meilleurs analystes remarque qu'il a peint «des êtres qui, sortis des troubles et des confusions de la vie sentimentale, délivrés du dégoût paralysant de la vie, ont retrouvé le chemin de la responsabilité morale, de l'activité efficace, de la foi qui rompt tous les obstacles». Tels de ses romans sont ainsi des réponses caractérisées à *René* ou à *Obermann.* De fait, le rêve et ses succédanés ne jouent pas grand rôle dans la vie des personnages de Balzac. Pour un peu, sans doute, ils le traiteraient avec le mépris de D.H. Lawrence, qui le compare aux ordures des poubelles et considère comme une étrange aberration, non qu'on s'y intéresse, mais qu'on y attribue une valeur. Cependant, pour être délibérément attachés à l'action, les personnages de *La Comédie Humaine* n'en sont pas moins romantiques, soit qu'il entre nécessairement dans la nature du héros une part de romantisme, soit, comme l'indique Baudelaire, ici comme toujours le complice de Balzac dans cette aventure de la modernité, que le romantisme demeure une «grâce, céleste ou infernale» dispensatrice de «stigmates éternels».

Quoi qu'il en soit, les personnages de Balzac, quand ils arrivent à pied d'œuvre devant la *réalité rugueuse à étreindre,* laissent généralement derrière eux un passé quelque peu brumeux, incertain ou difficile, apparenté à la vie de leurs prédécesseurs de la belle époque romantique. Ils gardent sans doute l'empreinte de ces années de désespoir et de luttes au cours desquelles ils se sont formés, mais ils en ont triomphé, et il ne leur en reste qu'une sorte de cuirasse contre les faiblesses du cœur et les scrupules de la conscience. Rien n'est plus instructif à cet égard que le type de Vautrin, à la fois révolté et créateur, le *forçat intraitable sur qui se referme tou-*

jours la porte du bagne, et, en même temps, réalisateur intelligent et précis qui tient dans l'ombre les fils d'une machination compliquée et grandiose. C'est lui qui introduit les jeunes provinciaux dans la jungle parisienne, qui les initie et qui leur dicte à tous en la personne de Rastignac les maximes qui doivent dorénavant inspirer leur action: «Il n'y a pas de principes, il n'y a que des événements; il n'y a pas de lois, il n'y a que des circonstances.»

Ainsi, vers 1840, on constate un changement considérable dans le monde extérieur, principalement dans le décor urbain, et, en même temps, naît une conception de la ville de caractère nettement mythique, qui entraîne une évolution du type du héros et une révision rigoureuse des valeurs romantiques. Cette révision tend à en éliminer les parties faibles, à en systématiser au contraire les côtés agressifs et entreprenants. Le Romantisme, en effet, marque la prise de conscience par l'individu de l'incompatibilité qui existe entre la vie sociale et la plupart de ses appétits. Mais, pour une large part, il signifie l'abandon de la lutte, le refus même du combat. Aussi l'écrivain et, à la suite, le héros romantiques ont-ils volontiers devant la société une attitude défaitiste. Ils se tournent vers les diverses formes du rêve, vers une poésie de refuge et d'évasion. La tentative de Balzac est exactement inverse et tend à intégrer dans la vie les postulations que les Romantiques se résignaient à satisfaire sur le seul plan de l'art et dont ils nourrissaient leurs poésies.

Par là, ses romans sont bien apparentés au mythe dont la vertu est précisément de provoquer à l'acte. A l'inverse une littérature de refuge et d'évasion reste proprement littéraire, car elle sert à procurer les plus idéales, les plus inoffensives des satisfactions de substitution. Elle détermine par conséquent un recul de l'imagination dans le domaine des exigences pratiques. Il suit de là que le Romantisme d'ancienne observance se trouve par essence radicalement incapable de mythes. Certes il produit avec complaisance des contes de fées et des histoires de revenants, il se berce de fantastique, mais s'éloigne du mythe par le fait même. En effet celui-ci, impératif et exemplaire, n'a pas grand-chose de commun avec un goût du surnaturel qui agit à la manière d'un dérivatif et qui manifeste seulement une adaptation insuffisante à la société, au lieu d'en représenter une vision collective, exaltée et entraînante.

Pour que l'œuvre d'un Balzac, au contraire, apparaisse authentiquement mythique, il suffit de rappeler que, du vivant même de son auteur, s'étaient constitués à Venise et en Russie des cercles d'hommes et de femmes qui se distribuaient les rôles des personnages de *La Comédie Humaine* et qui s'appliquaient à vivre à leur ressemblance. L'enfantillage de semblables manifestations n'est pas douteux. Il faut prendre garde, cependant, qu'on néglige trop la permanence chez l'adulte et l'intensité des besoins mal définis qu'elles supposent : il est assez patent que c'est un sûr moyen d'agir sur l'homme que de spéculer sur eux.

Il est enfin permis d'avancer une grave conclusion : le mythe de Paris annonce d'étranges pouvoirs de la littérature. Il semble que la fiction renonce à son monde autonome pour tenter ce que Baudelaire, qu'il faut citer une dernière fois, appelle lumineusement la « traduction *légendaire* de la vie extérieure ». Expression directe de la société et agissant sur un public toujours plus étendu, la littérature devient à son tour une force sociale. Elle ne se présente plus comme la parure, comme l'illustration d'une société, œuvre pure, créée par des spécialistes pour la satisfaction d'une élite. Elle abandonne l'esthétique pour la dramaturgie. C'est l'âge du roman qui n'est qu'en apparence un genre littéraire au sens ancien du mot. Il ne prétend pas à une beauté intemporelle et il s'adresse à tous. Il entend traduire une réalité éphémère et changeante, qu'il cherche à modifier en donnant conscience au lecteur des problèmes de l'époque, en l'obligeant à les examiner, en lui suggérant l'attitude qu'il doit prendre, en lui proposant l'exemple d'une décision prestigieuse. Balzac est à l'origine d'un pareil mode d'emploi du roman. Certes le roman n'est pas le mythe. Il s'en faut de beaucoup. Il n'en est qu'une sorte de dégradation profane, sans cohérence ni autorité. Cependant ses héros, comme les héros mythiques, apportent à l'individu les répondants dont il a besoin pour oser agir, quelquefois même pour seulement imaginer sa conduite future.

Roger Caillois

A Paris !

Paris en 1831

Le paradis des femmes,
Le purgatoire des hommes,
L'enfer des chevaux.

Pays des contrastes, centre de boues, de crotte et de merveilles, du mérite et des médiocrités, de l'opulence et de la misère, du charlatanisme et des célébrités, du luxe et de l'indigence, des vertus et des vices, de la moralité et de la dépravation ;

Où les chiens, les singes et les chevaux sont mieux traités que les humains ;

Où l'on voit des hommes remplir les fonctions de chevaux, de singes et de chiens ;

Où certains citoyens seraient bons ministres, et où certains ministres sont mauvais citoyens ;

Où l'on va le plus au théâtre, et où l'on dit le plus de mal des comédiens ;

Où il y a des gens raisonnables et d'autres qui se brûlent la cervelle ou vont en ballon ;

Où les républicains sont plus mécontents depuis qu'ils ont la meilleure des républiques;

Où il y a le moins de mœurs et le plus de moralistes;

Où il y a le plus de peintres et le moins de bons tableaux;

Où partout il y a des remèdes à tous maux, des médecins fort habiles, et cependant le plus de malades;

Où il y a plus de Carlistes que lorsque le souverain s'appelait Charles X;

Où il y a plus d'étrangers et de provinciaux que de Parisiens;

Où il y a le plus de religion, et où les églises sont vides;

Où il y a plus de journaux que d'abonnés;

Où l'on voit encore, sur plusieurs monuments, un coq, un aigle et une fleur de lis;

Où il y a la meilleure police du monde et le plus de vols;

Le plus de philanthropes, de bureaux de charité, d'hospices, et cependant le plus de malheureux!

Paris est un sujet d'envie pour ceux qui ne l'ont jamais vu; de bonheur ou de malheur (selon la fortune) pour ceux qui l'habitent, mais toujours de regrets pour ceux forcés de le quitter.

Aussi, Paris est-il le but de tous. Chacun y accourt, et chacun pour un motif particulier.

Le provincial oisif et opulent y vient pour respirer et prendre l'air du bon ton, en même temps que servir de dupe à l'exploitation de l'inexpérience départementale ;

L'étranger millionnaire, pour en voir les curiosités, en boire les vins délicieux, dîner aux *Frères Provençaux,* et savoir comment sont faits les souliers des danseuses de l'Opéra ;

L'étudiant pour faire son droit en faisant les délices des grisettes ;

L'homme studieux, pour apprendre ;

Le talent, pour se faire admirer ;

L'ambitieux pour parvenir ;

La jeune villageoise, pour se dégourdir ;

Le député, pour voter ;

Le filou supérieur, pour faire parler de lui ;

L'écrivain, pour se faire lire ;

Le lieutenant, pour devenir capitaine ;

La beauté, pour intriguer ;

Le génie, pour briller ;

L'homme à projets, pour exploiter ;

L'industriel, pour s'occuper ;

Tous y trouvent ce qu'ils étaient venus chercher, et c'est du choc de tous ces divers intérêts, c'est du contact de toutes ces sortes d'industries, de ces nombreux talents dans mille branches diverses, de toutes ces imaginations appliquées au travail, aux recherches, aux découvertes, que naissent cette activité, ce mouvement continuel de fabrication, ces prodiges de l'art et de la science, ces améliorations journalières, ces conceptions savantes et ingénieuses ; enfin ces admirables merveilles qui saisissent, étonnent, surprennent, captivent et font généralement considérer Paris comme sans égal dans l'Univers. Réceptacle général de toutes les créations étrangères, un hommage universel est un juste tribut payé à son opulence : aussi, les productions animales, végétales, minérales, aquatiques et industrielles de toutes les parties du globe y arrivent-elles en poste pour satisfaire aux énormes besoins de sa consommation, et son luxe accapare, dévore et anéantit en un seul jour, le fruit des travaux de plusieurs peuples, pendant nombre d'années.

Ce besoin continuel de tout ce qui approche et entoure, cette fréquence de rapports entre toutes les classes de la société, constituent cette aimable politesse qui caractérise les Parisiens et contribue au maintien de la cordiale familiarité qui existe entre tous les habitants de la grande ville, sans distinction de rangs ni de conditions, même les jours où ils ne s'embrassent pas réciproquement dans les rues, comme en 1811, en 1815 et en 1830. Tous sont confondus également dans la foule : chacun s'en distingue ensuite par ses fonctions, son talent ou sa fortune. Mais au milieu du rapide tourbillon de la vie sociale qui les entraîne ensemble au plaisir, ou aux affaires qui les réunissent et les rassemblent, il n'existe point de différence humiliante pour celui qui n'a ni titre, ni fortune. Tous les hommes sont égaux. Malheur à celui qui, ébloui par sa position, manquerait envers un inférieur aux règles de la politesse établies pour tous ! La provocation légale de l'offensé l'obligerait bientôt à une éclatante réparation, et si la lâcheté l'empêchait d'y satisfaire, ni son rang, fût-il le premier, ni sa fortune, fût-elle considérable, ne pourraient le mettre à l'abri du mépris.

A Paris, séjour de la cour, des richards et des grandeurs, où l'on sacrifie tout au présent, les titres ne sont rien pour la foule ; le mérite, peu de chose, et l'argent, *tout !* C'est la meilleure recommandation et la plus sûre prérogative ; il équivaut au talent, au génie et à la considération ; il n'efface aucune de ces qualités, il est vrai, mais il procure les mêmes résultats, et c'est ce qui fait le délice du riche qui ne s'inquiète point d'où lui vient le bonheur qu'il achète. Voilà la première condition pour être heureux dans la capitale du monde ; et la seconde, que du reste on y observe religieusement, c'est l'égoïsme. En effet, il est tout-à-fait indispensable au Parisien dont il est le sauf-conduit ; car, eût-on tous les trésors du Pérou, on serait bien vite dépouillé, si l'on avait l'intention charitable de soulager tous les malheureux, dans cette bienheureuse ville de Paris, où l'on ne peut faire un pas sans être assailli par de misérables infirmes, faisant parade de leurs plaies ; par des mendiants ingambes, qui écorchent les oreilles du bruit de leurs chants ou de leurs instruments barbares ; par les industriels en plein vent qui échangent un paquet de cure-dents, ou vous donnent un coup de balai dans les jambes, contre une aumône, par les intrigants, qui soutirent par subterfuges, et par les voleurs patentés qui vous dérobent votre montre, pendant qu'ils vous avertissent complaisamment que vous allez perdre votre mouchoir.

La Caricature,
10 mars 1831
(signé Henri B...).

HISTOIRE ET PHYSIOLOGIE DES BOULEVARDS DE PARIS

De la Madeleine à la Bastille

Toute capitale a son poëme* où elle s'exprime, où elle se résume, où elle est plus particulièrement elle-même. Les Boulevards sont aujourd'hui pour Paris ce que fut le Grand Canal à Venise, ce qu'est la Corsia dei Servi à Milan, le Corso à Rome, la Perspective à Pétersbourg (imitation des Boulevards), sous les Tilleuls à Berlin, le Bois de la Haye en Hollande, Regent-Street à Londres, le Graben à Vienne, la porte du Soleil à Madrid. De tous ces cœurs de cités, nul n'est comparable aux Boulevards de Paris. Le Graben, à peine long comme le plus petit de nos Boulevards, ressemble à une bourgeoise

* Nous avons maintenu, selon l'orthographe d'usage au XIXe siècle, le tréma sur le mot « poëme » et ses dérivés, ainsi que le trait d'union après l'adverbe « très » (N.d.E.).

endimanchée. Sous les Tilleuls est aussi morne que le boulevard du Pont-aux-Choux ; il a l'air d'un mail de province, et commence par des hôtels qui ressemblent à des prisons d'Etat. La Perspective ne ressemble à nos Boulevards que comme le strass ressemble au diamant ; il y manque ce vivifiant soleil de l'âme, la liberté... de se moquer de tout, qui distingue les flâneurs parisiens. Les usages du pays empêchent d'y causer trois ou de s'attrouper à la moindre cheminée qui fume trop. Enfin, le soir, si beau, si agaçant à Paris, fait faillite à la Perspective ; mais les édifices y sont étranges, et, si l'Art ne doit pas se préoccuper de la matière employée, un écrivain impartial avouera que la décoration architecturale peut, en certains endroits, disputer la palme aux Boulevards.

Mais toujours des uniformes, des plumes de coq et des manteaux ! mais pas un groupe où se fasse le petit journal ! mais rien d'imprévu, ni filles de joie ni joie ! Les guenilles du peuple y sont sans variété. Le peuple, c'est toujours la même peau de mouton qui marche. A Regent-Street aussi, toujours le même Anglais et le même habit noir, ou le même mackintosh ! A Pétersbourg, le rire se fige sur les lèvres ; mais, à Londres, l'ennui les ouvre incessamment de la façon la moins agréable. Entre Londres et Pétersbourg, tout le monde préférera les glaces de la nature à celle des figures. A la Perspective, il n'y a qu'un czar ; à Londres, autant de lords autant de czars ; c'est trop. Le Grand Canal est un cadavre, le Bois de la Haye n'est qu'une vaste guinguette de riches, et la Corsia dei Servi, n'en déplaise à l'Autriche, est meublée de trop d'espions pour être ellemême, tandis qu'à Paris!... Oh! à Paris, là est la liberté de l'intelligence, là est la vie! une vie étrange et féconde, une vie communicative, une vie chaude, une vie de lézard et une vie de soleil, une vie artiste et une vie amusante, une vie à contrastes. Le Boulevard, qui ne se ressemble jamais à lui-même, ressent toutes les secousses de Paris: il a ses heures de mélancolie et ses heures de gaieté, ses heures désertes et ses heures tumultueuses, ses heures chastes et ses heures honteuses. A sept heures du matin, pas un pied n'y fait retentir la dalle, pas un roulis de voiture n'y agace le pavé. Le Boulevard s'éveille tout au plus à huit heures au bruit de quelques cabriolets, sous la pesante démarche de rares porteurs chargés, aux cris de quelques ouvriers en blouse allant à leurs chantiers. Pas une persienne ne bouge, les boutiques sont fermées comme des huîtres. C'est un spectacle inconnu de bien des Parisiens, qui croient le Boulevard toujours paré, de même qu'ils croient, ainsi que le croit leur critique favori, les homards nés rouges. A neuf heures, le Boulevard se lave les pieds sur toute la ligne, ses boutiques ouvrent les yeux en montrant un affreux désordre intérieur. Quelques moments après, il est affairé comme une grisette, quelques paletots intrigants sillonnent ses trottoirs. Vers onze heures, les cabriolets courent aux procès, aux payements, aux avoués, aux notaires, voiturant des faillites en bourgeon, des quarts d'agent de change, des transactions, des intrigues à figures pensives, des bonheurs endormis à redingotes boutonnées, des tailleurs, des chemisiers, enfin le monde matinal et affairé de Paris. Le Boulevard a faim vers midi, on y déjeune, les boursiers arrivent. Enfin, de deux heures à cinq heures, sa vie atteint à l'apogée, il donne sa grande représentation GRATIS. Ses trois mille boutiques scintillent, et le grand poëme de l'étalage chante ses strophes de couleurs depuis la Madeleine jusqu'à la porte Saint-Denis. Artistes sans le savoir, les passants vous jouent le chœur de la tragédie antique : ils rient, ils aiment, ils pleurent, ils sourient, ils songent creux ! Ils vont comme des ombres ou comme des feux follets !... On ne fait pas deux boulevards sans rencontrer un ami ou un ennemi, un original qui prête à rire ou à penser, un pauvre qui cherche un sou, un vaudevilliste qui cherche un sujet, aussi indigents mais plus riches l'un que l'autre. C'est là qu'on observe la comédie de l'habit. Autant d'hommes, autant d'habits différents ; et autant d'habits, autant de caractères ! Par les belles journées, les femmes se montrent, mais sans toilette. Les toilettes, aujourd'hui, vont dans l'avenue des Champs-Elysées ou au Bois. Les femmes comme il faut qui se promènent sur les boulevards n'ont que des fantaisies à contenter, s'amusent à marchander ; elles passent vite et sans reconnaître personne.

La vie de Paris, sa physionomie, a été, en 1500, rue Saint-Antoine ; en 1600, à la place Royale ; en 1700, au pont Neuf ; en 1800, au Palais-Royal. Tous ces endroits ont été tour à tour les Boulevards ! La terre a été passionnée là, comme l'asphalte l'est aujourd'hui sous les pieds des boursiers, au perron de Tortoni. Enfin, le Boulevard a eu ses destinées lui-même. Le Boulevard ne fit pressentir ce qu'il serait un jour qu'en 1800. De la rue du Faubourg-du-Temple à la rue Charlot, où grouillait tout Paris, sa vie s'est transportée, en 1815, au boulevard du Panorama. En 1820, elle s'est fixée au boulevard dit de Gand, et, maintenant, elle tend à remonter de là vers la Madeleine. En 1860, le cœur de Paris sera de la rue de la Paix à la place de la Concorde. Ces déplacements de la vie parisienne s'expliquent. En 1500, la cour était au château des Tournelles, sous la protection de la Bastille. En 1600, l'aristocratie demeurait à la fameuse place Royale, chantée par Corneille, comme quelque jour on chantera les Boulevards.

La cour était alors tantôt à Saint-Germain, tantôt à Fontainebleau, tantôt à Blois ; le Louvre n'était pas le dernier mot de la Royauté. Quand Louis XIV décida Versailles, le pont Neuf devint la grande artère par où toute la ville passa pour aller d'une rive à l'autre. En 1800, il n'y avait plus de centre, on cherchait l'amusement où il se faisait : les spectacles de Paris se trouvaient sur le boulevard du Temple ; le boulevard du Temple fut donc toute la ville, et Désaugiers le célébra par sa fameuse chanson. Les Boulevards n'étaient alors qu'une route royale de première classe qui menait au plaisir, car on sait ce que fut le *Cadran bleu !*... Les Bourbons, en 1815, ayant mis l'activité de la France à la Chambre, les

Boulevards devinrent le grand chemin de toute la cité. Néanmoins, la splendeur du boulevard n'a monté vers son apogée qu'à partir de 1830 environ. Chose étrange, ce fut le côté nord qui eut la vogue ; les Parisiens s'obstinaient à ne passer que sur cette ligne. La ligne méridionale, sans passants, partant sans valeur, voyait ses boutiques, sans preneurs et sans chalands, livrées à des commerces sans luxe ni dignité. Cette bizarrerie avait encore sa cause : Paris vivait alors tout entier entre la ligne nord et les quais. En quinze ans, un second Paris s'est construit entre les collines de Montmartre et la ligne du Midi. Dès lors, les deux lignes ont rivalisé d'élégance et se sont disputé les promeneurs.

L'histoire du Boulevard, comme celle des empires, offre des commencements mesquins. Quel Parisien, s'il est quadragénaire, ne se souvient encore de la barbarie municipale qui laissa pendant si longtemps, à l'entrée de chaque boulevard, des poteaux dans lesquels se donnaient des femmes enceintes, des jeunes gens distraits dont les yeux occupés ne leur permettaient pas d'apercevoir ce poteau sur lequel on s'empalait l'abdomen ? Il n'y avait pas moins de mille accidents graves par an, et l'on en riait !... Le maintien barbare et stupide de ces poteaux, pendant trente ans, explique l'administration française, et surtout celle de la ville de Paris, la moins habile, la plus gaspilleuse et la moins imaginative de toutes. Les Boulevards furent un cloaque impraticable par les temps de pluie. Enfin, l'Auvergnat Chabrol entreprit son dallage mesquin en pierre de Volvic. Autre trait du caractère municipal ! On fit venir du fond de l'Auvergne des dalles volcaniques, poreuses, sans durée, quand la Seine pouvait amener du granit des côtes de l'Océan. Ce progrès fut salué par les Parisiens comme un bienfait, quoique le bienfait ne permît pas à trois personnes de se rencontrer.

Encore aujourd'hui, bien des améliorations sont attendues. La voie des boulevards devrait être un asphalte égal, et ne pas être entremêlée de dalles et d'asphalte, car on pense aussi par les pieds à Paris, et ce changement dans le tillac cahote la tête. Le pavage de la chaussée devrait être établi richement, coquettement, dans le genre de l'essai fait rue Montmartre. Enfin, le terrain devrait être égalisé d'un bout à l'autre, et la porte Saint-Denis désobstruée. Mais les Boulevards ne seront dignes de Paris qu'après un changement radical dans les constructions riveraines, quand on pourra s'y promener à couvert aussi bien qu'à découvert, sans avoir à craindre ou la grillade ou la pluie. La reconstruction des maisons serait d'une cherté qui la rend impossible ; mais on obtiendrait d'excellents résultats par des balcons en saillie et continus. (Voir *Ce qui disparaît de Paris.)* Et pourquoi ne ferait-on pas murmurer, au bas de chaque allée, un limpide ruisseau, de la place de la Concorde à la place de la Bastille ? Quels arbres, quelle végétation que celle des Boulevards aujourd'hui !... N'aurait-on élevé l'eau de la Seine au quai de Billy que pour la reverser dans la Seine au pont Louis XVI, en la faisant passer par des corps de sirènes ? Ce serait un enfantillage ou un mythe. Tels qu'ils sont néanmoins, en aucun temps, chez aucune nation, il n'a existé de points de vue, ni de promenades, ni de spectacles, pareils à ceux que présentent les Boulevards depuis le pont d'Austerlitz, au bout duquel est le Jardin des Plantes, jusqu'à la Madeleine, au bout de laquelle sont la place de la Concorde et les Champs-Elysées.

Maintenant, prenons notre vol comme si nous étions en omnibus, et suivons ce fleuve, cette seconde Seine sèche ; étudions-en la physionomie...

De la Madeleine à la rue Caumartin, on ne flâne pas. C'est un passage dominé par notre imitation du Parthénon, grande et belle chose, quoi qu'on dise, mais gâtée par les infâmes sculptures de café qui déshonorent les frises latérales. La rue parallèle au Boulevard, du côté du midi, éloigne les passants des boutiques, et les constructions sur la ligne gauche ne sont entreprises que depuis un an. Aussi, le Boulevard, dans cette partie, attend-il ses destinées de l'avenir ; elles seront brillantes, surtout si l'on supprime la rue méridionale. Jusqu'à la transformation prochaine du ministère des Affaires étrangères en maisons à boutiques, toute cette zone est sacrifiée. On y passe, on ne s'y promène pas. Cette partie est sans animation, quoique le passant soit généralement bien mis, élégant et riche. C'est le passage le plus dangereux : cinq rues y débouchent.

C'est le passage le plus glissant: le ministère des Affaires étrangères est là. Voilà peut-être la raison qui fait que personne ne reste sur ce boulevard; la politique déteint sur la locomotion; mais on va supprimer la politique. Tant que la rue Basse-du-Rempart, la dernière des rues basses, existera, ce boulevard n'aura ni gaieté, ni caractère, ni flâneurs, ni vente conséquemment. O propriétaires, sachez semer les cent mille francs qui donnent les millions! En cet endroit, le flâneur se sait trop vu; le Parisien n'aime pas à ce que les maisons lui disent si insolemment qu'il est là pour les menus plaisirs des premiers étages.

La maison qui fait l'angle de la rue Caumartin est une des maisons les plus célèbres du XVIIIe siècle; mademoiselle Guimard l'habita jusqu'au moment d'aller occuper son hôtel de la Chaussée-d'Antin. On y voit encore les attributs de l'Opéra sculptés sur le pavillon arrondi qui fait l'angle de la rue. Ce sera démoli quelque jour, comme la maison de Lulli, située aussi à un angle, celui de la rue Neuve-des-Petits-Champs et de la rue Sainte-Anne, et où il a signé son nom par des sculptures parmi lesquelles se voit, sous forme de lyre, le violon qui fit sa fortune.

A la rue de la Paix, tout change, le passant abonde. Autrefois, le Boulevard finissait réellement là. Tout Paris débouchait par la rue de la Paix pour aller aux Tuileries. La rue de la Paix est la future antagoniste de la rue Richelieu, ce sera la rue Saint-Denis moderne. Dès que vous avez passé ce point, vous atteignez au cœur du Paris actuel, qui palpite entre la rue de la Chaussée-d'Antin et la rue du Faubourg-Montmartre. Là commencent ces édifices bizarres et merveilleux qui tous sont un conte fantastique ou quelques pages des *Mille et une Nuits*. D'abord, le pavillon de Hanovre et la grande maison qui lui fait face, bâtie par Simon, pour ôter la vue des jardins au maréchal de Richelieu. Tout Paris passe par là sans se douter qu'il y eut un procès de vingt ans, perdu par le maréchal ; et l'on croit au règne du bon plaisir dans un temps où le roi lui-même succombait en plein parlement ! Puis les Bains Chinois, l'une des plus grandes audaces commerciales, une annonce d'un million, une réclame éternelle, et, chose étrange ! faite sous l'Empire.

Si les beaux et curieux édifices, comme la Maison dorée, comme celle du Grand Balcon, qui meublent les Boulevards, n'étaient pas entremêlés de sales et ignobles constructions plâtreuses, sans goût, sans décor, les Boulevards pourraient lutter, comme fantaisie d'architecture, avec le grand canal de Venise.

Regardez bien l'entrée de la rue Grange-Batelière, bordée à chaque encoignure d'édifices sans grandeur ni caractère, au milieu de tant de splendeurs ! Croiriez-vous que l'une de ces maisons soit celle du Jockey-Club ? ne trouvez-vous pas étrange que ses membres, aussi riches qu'élégants, n'aient pas eu la pensée nationale de lutter avec les clubs de Londres, dont la magnificence dépasse celle des rois ? C'est à un ancien tapissier, devenu par vocation architecte, que l'on doit la fameuse Maison dorée ! Eh ! bien, de l'autre côté du boulevard, c'est au célèbre tailleur Buisson que les Boulevards sont redevables de l'immense maison bâtie dans la cour de l'hôtel où tous les joueurs de Paris ont palpité pendant trente-cinq ans ! Là fut Frascati, dont le nom fut religieusement conservé par un café, rival de celui dit du *Cardinal,* qui lui fait face. Admirez les étonnantes révolutions de la propriété dans Paris ! Sur la garantie d'un bail de dix-neuf ans qui oblige à un loyer de cinquante mille francs, un tailleur construit cette espèce de phalanstère *colyséen,* et il y gagnera, dit-on, un million ; tandis que, dix ans auparavant, la maison du café *Cardinal,* dont le rez-de-chaussée rapporte aujourd'hui quarante mille francs, fut vendue pour la somme de deux cent mille francs !... Buisson et Janisset, le café *Cardinal* et *la Petite Jeannette* (combien de déjeuners, d'affaires, de bijoux, de fortunes, en peu de mots !) forment la tête de la rue Richelieu. N'est-ce pas la cuisine, l'habit, la robe, les diamants, et tout Paris peut-être ? car rien ne se fait sans cela ou pour cela.

Quel attrait, quelle atmosphère capiteuse pétillent entre la rue Taitbout et la rue Richelieu, jusqu'à l'autre perspective que voici ! Qui ne le sait ?

Une fois que vous avez mis le pied là, votre journée est perdue si vous êtes un homme de pensée. C'est un rêve d'or et d'une distraction invincible. On est à la fois seul et en compagnie. Les gravures des marchands d'estampes, les spectacles du jour, les friandises des cafés, les brillants des bijoutiers, tout vous grise et vous surexcite. Toute la haute et fine marchandise de Paris est là : bijoux, étoffes, gravures, librairie. Le préfet de police devrait interdire aux pauvres de passer par là, car ils doivent vouloir procéder immédiatement à la loi agraire. La lorette débouche infailliblement par les quatre ou cinq lignes qui mènent aux rues qu'elle affectionne ; et, tout-à-coup, le penseur est comme un chasseur lisant Horace qui voit filer devant lui les compagnies de perdrix ! On sort du champ de bataille de la Bourse pour aller aux restaurants, en passant d'une digestion à une autre. Tortoni n'est-il pas à la fois la préface et le dénoûment de la Bourse ? Les clubs de Paris sont là presque tous ; les artistes fameux, les illustres richards, l'Opéra et ses mille pieds y passent à tout moment ; les cafés sont d'une splendeur fabuleuse. Dix théâtres, y compris celui de Comte, rayonnent aux environs. Ce point de Paris a tué le Palais-Royal. On s'y croit riche, enfin on peut s'y croire spirituel en frôlant sans cesse des gens d'esprit. Il y roule tant d'équipages, que, par moments, on ne s'y croit plus à pied. Ce mouvement vertigineux vous gagne ; il est dangereux de rester là, sans une causerie ou une pensée intéressante. Voilà ce qui fait qu'on est plus heureux à Paris avec cent louis de rente qu'à Londres avec cinquante millions de fortune, et à Pétersbourg avec cinquante mille paysans de rente. A partir de la rue Montmartre jusqu'à la rue Saint-Denis, la physionomie du Boulevard change entièrement, malgré des constructions qui ne manquent pas de caractère, et parmi lesquelles on remarque tout d'abord le magnifique hôtel Lagrange, où logent maintenant les tapis d'Aubusson. On a vainement bâti la maison babylonienne du pont de fer, qui s'est donné le tort d'être en plâtre ; le Gymnase y montre vainement sa petite façade coquette ; plus loin, le bazar Bonne-Nouvelle, aussi beau qu'un palais vénitien, est en vain sorti de terre comme un coup de baguette d'une fée : tout cela, peines perdues !... Il n'y a plus d'élégance chez les passants, les belles robes y sont comme dépaysées, l'artiste, le lion, ne s'aventurent plus dans ces parages. Les masses inélégantes et provinciales, commerciales et mal chaussées, des rues Saint-Denis, des faubourgs du Temple, de la rue Saint-Martin, arrivent ; les vieux propriétaires, les bourgeois retirés, se montrent ; et c'est tout un autre monde !... Le même phénomène a lieu, d'ailleurs, à Pétersbourg, où la vie de la Perspective est concentrée entre la Morskaia et le palais d'Anikoff. A Paris, un seul boulevard d'intervalle produit ce changement total. Les boutiques n'ont plus cette audace dans le décor, ce luxe dans les détails, cette richesse d'étalage, qui poëtisent les Boulevards entre la rue de la Paix et la rue Montmartre. Les marchandises sont tout autres ; l'effrontée boutique à vingt-cinq sous étale ses produits éphémères, l'imagination n'a plus ces stimulants si prodigués quelques pas plus loin. Ce contraste est si frappant, que l'esprit s'en ressent ; les idées ne sont plus les mêmes, on laisse ses pièces de cent sous tranquilles dans sa poche, quand on en a. Mais, si vous allez jusqu'à la porte Saint-Denis, que le conseil municipal essaye de dégager depuis vingt ans sans y parvenir, oh ! alors, malgré l'aspect original de ce vaste bassin, il prend envie aux pieds de retourner quand la nécessité d'une affaire vous oblige à vous aventurer dans ces parages. Ce boulevard offre une variété de blouses, d'habits déchirés, de paysans, d'ouvriers, de charrettes, de peuple enfin, qui fait, d'une toilette un peu propre, une dissonance choquante, un scandale très-remarqué.

Vous retrouverez là l'ineptie de la Ville, elle brille en plein soleil. A dix pieds de la porte Saint-Denis, on laisse, depuis cinquante ans, une fontaine uniquement destinée à vendre de l'eau. C'est un affreux marais, infranchissable par tous les temps, qui fait de la crotte à vingt mètres à la ronde, et qui déshonore ce coin. Pourquoi ? je défie cent conseillers municipaux de l'expliquer, de le justifier. Ce boulevard fut toujours une sentine ignoble. On y a laissé subsister, pendant cent ans, un petit mur d'un mètre de hauteur, qui séparait une rue basse du boulevard. Devant le passage dit du Bois-de-Boulogne, il y avait un petit escalier où la fameuse Guimard se démit le pied en le descendant. Tout Paris fut en rumeur à cette cause. Le petit mur a subsisté, depuis cet accident, encore cinquante ans. Si La Fayette, que le peuple a hué en cet endroit en 1832, en l'accusant de trahison, s'était enrhumé sous la pompe, elle y aurait gagné cent ans d'existence. Les malheurs causés par les abus consolident, à Paris, les abus. On ne s'appelle pas préfet de la Seine pour rien, il faut en vendre l'eau partout. Mais pourquoi l'eau ne se mettrait-elle pas en boutique ? manque-t-on par là de coins honteux où la ville élèverait d'élégants réservoirs semblables à celui de la rue de l'Arcade ?

Voici le côté populaire des Boulevards. A partir du théâtre de la porte Saint-Martin jusqu'au café *Turc,* le peuple a tout pris sous sa protection. Ainsi, le Succès amène au théâtre, non pas des spectateurs, mais toute la nation des faubourgs. Le Château-d'Eau n'a jamais été calomnié par les romanciers populaires ; et de midi à quatre heures, la scène du caporal et de la payse est visible tous les jours de beau temps.

Cette zone est enfin le boulevard des Italiens du peuple ; mais elle n'est cela que le soir, car, le matin, tout y est morne, sans activité, sans vie, sans caractère ; tandis que, le soir, c'est effrayant d'animation. Huit théâtres y appellent incessamment leurs spectateurs. Cinquante marchandes en plein vent y vendent des comestibles et fournissent la nourriture au peuple, qui donne deux sous à son ventre et vingt sous à ses yeux. C'est le seul point de Paris où l'on entende les cris de Paris, où l'on voie le peuple grouillant, et ces guenilles à étonner un peintre, et ces regards à effrayer un propriétaire ! Feu Bobèche était là, l'une des gloires de ce coin, et, comme tant de gloires, sans successeur. Son compère s'appelait Galimafrée. Martainville a écrit pour ces deux illustres saltimbanques les parades qui faisaient tant rire l'enfant, le soldat et la bonne, dont les costumes émaillent constamment la foule sur ce célèbre boulevard, que voici dans toute sa vérité.

La maison du restaurant Deffieux fut le suprême effort de ce quartier pour lutter avec les boulevards supérieurs. Cet édifice, ceux de l'Ambigu et du Cirque, ont été des tentatives sans imitateurs. Les autres théâtres, les maisons, tout est construit sur les plus vilains modèles : le plâtre, les ornements sans durée, tout y est précaire et piteux ; mais l'ensemble produit un effet bizarre qui ne manque pas d'originalité. Le fameux *Cadran bleu* n'a pas une fenêtre ni un étage qui soient du même aplomb. Quant au café *Turc,* il est à la Mode ce que les ruines de Thèbes sont à la Civilisation.

Bientôt commencent des boulevards déserts, sans promeneurs, les landes de cette promenade royale. L'ennui vous y saisit, l'atmosphère des fabriques se sent de loin. Il n'y a plus rien d'original. Le rentier s'y promène en robe de chambre, s'il veut ; et, par les belles journées, on y voit des aveugles qui font leur partie de cartes. *In piscem desinit elegantia.* On y expose sur des tables de petits palais en fer ou en verre ; les boutiques sont hideuses, les étalages sont infects. La tête est à la Madeleine, les pieds sont au boulevard des Filles-du-Calvaire. La vie et le mouvement recommencent sur le boulevard Beaumarchais, à cause des boutiques de quelques marchands de bric-à-brac, à cause de la population qui s'agglomère autour de la colonne de juillet. Il y a là un théâtre qui de Beaumarchais n'a pris encore que le nom.

Au-delà, le boulevard Bourdon n'est plus Paris : c'est la campagne, c'est le faubourg, c'est la grand'route, c'est la majesté du néant ; mais c'est un des plus magnifiques lieux de Paris, le coup d'œil y est étourdissant. C'est une splendeur romaine sans spectateurs ! Le pont d'Austerlitz, la Seine dans sa plus grande largeur, Notre-Dame, le Jardin des Plantes, la Halle aux Vins, l'île Saint-Louis, les greniers d'abondance, la colonne de Juillet, les fossés de la Bastille, la Salpêtrière, le Panthéon, tout y est grandiose. Vraiment, la fin du drame parisien est digne de son commencement.

Allez, au grand trot d'un cheval anglais, de la place de la Concorde et de la Madeleine au pont d'Austerlitz, vous lirez en un quart d'heure ce poëme de Paris, depuis l'arc de triomphe de l'Etoile, où revivent trois mille soldats, jusqu'au palais où vivent trois mille folles ; depuis le Garde-Meuble jusqu'au Muséum, depuis l'échafaud de Louis XVI, couvert par un caillou d'Egypte, jusqu'au premier coup de feu de la Révolution allumé sous les yeux de Beaumarchais, qui tira le premier bon mot dix ans avant le premier coup de fusil ; depuis les Tournelles, où naquit le roi de France, jusqu'à la Chambre, où il est mort sous le roi des Français. L'histoire de France, les dernières pages principalement, sont écrites sur les Boulevards.

Une concurrence formidable se prépare contre les Boulevards. Aujourd'hui, les gens distingués se promènent aux Champs-Elysées, dans la contre-allée méridionale ; mais la même imprévoyance qui rend les Boulevards impraticables en temps de pluie, le temps le plus fréquent à Paris, arrêtera pendant longtemps le succès de la grande avenue des Champs-Elysées.

Caveant consules ! J'ai dit.

Le Diable à Paris, 1844.

Il est dans Paris certaines rues déshonorées…

Il est dans Paris certaines rues déshonorées autant que peut l'être un homme coupable d'infamie ; puis il existe des rues nobles, puis des rues simplement honnêtes, puis de jeunes rues sur la moralité desquelles le public ne s'est pas encore formé d'opinion ; puis des rues assassines, des rues plus vieilles que de vieilles douairières ne sont vieilles, des rues estimables, des rues toujours propres, des rues toujours sales, des rues ouvrières, travailleuses, mercantiles. Enfin, les rues de Paris ont des qualités humaines, et nous impriment par leur physionomie certaines idées contre lesquelles nous sommes sans défense. Il y a des rues de mauvaise compagnie où vous ne voudriez pas demeurer, et des rues où vous placeriez volontiers votre séjour. Quelques rues, ainsi que la rue Montmartre, ont une belle tête et finissent en queue de poisson. La rue de la Paix est une large rue, une grande rue ; mais elle ne réveille aucune des pensées gracieusement nobles qui surprennent une âme impressible au milieu de la rue

Royale, et elle manque certainement de la majesté qui règne dans la place Vendôme. Si vous vous promenez dans les rues de l'île Saint-Louis, ne demandez raison de la tristesse nerveuse qui s'empare de vous qu'à la solitude, à l'air morne des maisons et des grands hôtels déserts. Cette île, le cadavre des fermiers-généraux, est comme la Venise de Paris. La place de la Bourse est babillarde, active, prostituée ; elle n'est belle que par un clair de lune, à deux heures du matin : le jour, c'est un abrégé de Paris ; pendant la nuit, c'est comme une rêverie de la Grèce. La rue Traversière-Saint-Honoré n'est-elle pas une rue infâme ? Il y a là de méchantes petites maisons à deux croisées, où, d'étage en étage, se trouvent des vices, des crimes, de la misère. Les rues étroites exposées au nord, où le soleil ne vient que trois ou quatre fois dans l'année, sont des rues assassines qui tuent impunément ; la Justice d'aujourd'hui ne s'en mêle pas ; mais autrefois le Parlement eût peut-être mandé le lieutenant de police pour le vitupérer *à ces causes,* et aurait au moins rendu quelque arrêt contre la rue, comme jadis il en porta contre les perruques du chapitre de Beauvais. Cependant monsieur Benoiston de Châteauneuf a prouvé que la mortalité de ces rues étaient du double supérieure à celle des autres. Pour résumer ces idées par un exemple, la rue Fromenteau n'est-elle pas tout à la fois meurtrière et de mauvaise vie ? Ces observations, incompréhensibles au-delà de Paris, seront sans doute saisies par ces hommes d'étude et de pensée, de poësie et de plaisir qui savent récolter, en flânant dans Paris, la masse des jouissances flottantes, à toute heure, entre ses murailles ; par ceux pour lesquels Paris est le plus délicieux des monstres : là, jolie femme ; plus loin, vieux et pauvre ; ici, tout neuf comme la monnaie d'un nouveau règne ; dans ce coin, élégant comme une femme à la mode. Monstre complet d'ailleurs ! Ses greniers, espèce de tête pleine de science et de génie ; ses premiers étages, estomacs heureux ; ses boutiques, véritables pieds ; de là partent tous les trotteurs, tous les affairés. Eh ! quelle vie toujours active a le monstre ? A peine le dernier frétillement des dernières voitures de bal cesse-t-il au cœur que déjà ses bras se remuent aux Barrières, et il se secoue lentement. Toutes les portes bâillent, tournent sur leurs gonds, comme les membranes d'un grand homard, invisiblement manœuvrées par trente mille hommes ou femmes, dont chacune ou chacun vit dans six pieds carrés, y possède une cuisine, un atelier, un lit, des enfants, un jardin, n'y voit pas clair, et doit tout voir. Insensiblement les articulations craquent, le mouvement se communique, la rue parle. A midi, tout est vivant, les cheminées fument, le monstre mange ; puis il rugit, puis ses mille pattes s'agitent. Beau spectacle ! Mais, ô Paris ! qui n'a pas admiré tes sombres paysages, tes échappées de lumière, tes culs-de-sac profonds et silencieux ; qui n'a pas entendu tes murmures, entre minuit et deux heures du matin, ne connaît encore rien de ta vraie poësie, ni de tes bizarres et larges contrastes. Il est un petit nombre d'amateurs, de gens qui ne marchent jamais en écervelés, qui dégustent leur Paris, qui en possèdent si bien la physionomie qu'ils y voient une verrue, un bouton, une rougeur. Pour les autres, Paris est toujours cette monstrueuse merveille, étonnant assemblage de mouvements, de machines et de pensées, la ville aux cent mille romans, la tête du monde. Mais, pour ceux-là, Paris est triste ou gai, laid ou beau, vivant ou mort ; pour eux, Paris est une créature ; chaque homme, chaque fraction de maison est un lobe du tissu cellulaire de cette grande courtisane de laquelle ils connaissent parfaitement la tête, le cœur et les mœurs fantasques. Aussi ceux-là sont-ils les amants de Paris : ils lèvent le nez à tel coin de rue, sûrs d'y trouver le cadran d'une horloge ; ils disent à un ami dont la tabatière est vide : « Prends par tel passage, il y a un débit de tabac, à gauche près d'un pâtissier qui a une jolie femme. » Voyager dans Paris est, pour ces poëtes, un luxe coûteux. Comment ne pas dépenser quelques minutes devant les drames, les désastres, les figures, les pittoresques accidents qui vous assaillent au milieu de cette mouvante reine des cités, vêtue d'affiches et qui néanmoins n'a pas un coin de propre, tant elle est complaisante aux vices de la nation française ! A qui n'est-il pas arrivé de partir, le matin, de son logis pour aller aux extrémités de Paris, sans avoir pu en quitter le centre à l'heure du dîner ? Ceux-là sauront excuser ce début vagabond qui, cependant, se résume par une observation éminemment utile et neuve, autant qu'une observation peut être neuve à Paris où il n'y a rien de neuf, pas même la statue posée d'hier sur laquelle un gamin a déjà mis son nom. Oui donc, il est des rues, ou des fins de rue, il est certaines maisons, inconnues pour la plupart aux personnes du grand monde, dans lesquelles une femme appartenant à ce monde ne saurait aller sans faire penser d'elle les choses les plus cruellement blessantes. Si cette femme est riche, si elle a voiture, si elle se trouve à pied ou déguisée, en quelques-uns de ces défilés du pays parisien, elle y compromet sa réputation d'honnête femme. Mais si, par hasard, elle y est venue à neuf heures du soir, les conjectures qu'un observateur peut se permettre deviennent épouvantables par leurs conséquences. Enfin, si cette femme est jeune et jolie, si elle entre dans quelque maison d'une de ces rues ; si la maison a une allée longue et sombre, humide et puante ; si au fond de l'allée tremblote la lueur pâle d'une lampe, et que sous cette lueur se dessine un horrible visage et une vieille femme aux doigts décharnés ; en vérité, disons-le, par intérêt pour les jeunes et jolies femmes, cette femme est perdue. Elle est à la merci du premier homme de sa connaissance qui la rencontre dans ces marécages parisiens. Mais il y a telle rue de Paris où cette rencontre peut devenir le drame le plus effroyablement terrible, un drame plein de sang et d'amour, un drame de l'école moderne. Malheureusement, cette conviction, ce dramatique sera, comme le drame moderne, compris par peu de personnes ; et c'est grande pitié que de raconter une histoire à un public qui n'en épouse pas tout le mérite local. Mais qui peut se flatter d'être jamais compris ? Nous mourrons tous inconnus. C'est le mot des femmes et celui des auteurs.

Ferragus, 1833.

UN DES SPECTACLES OÙ SE RENCONTRE LE PLUS D'EPOUVANTEMENT...

Un des spectacles où se rencontre le plus d'épouvantement est certes l'aspect général de la population parisienne, peuple horrible à voir, hâve, jaune, tanné. Paris n'est-il pas un vaste champ incessamment remué par une tempête d'intérêts sous laquelle tourbillonne une moisson d'hommes que la mort fauche plus souvent qu'ailleurs et qui renaissent toujours aussi serrés, dont les visages contournés, tordus, rendent par tous les pores l'esprit, les désirs, les poisons dont sont engrossés leurs cerveaux ; non pas des visages, mais bien des masques : masques de faiblesse, masques de force, masques de misère, masques de joie, masques d'hypocrisie ; tous exténués, tous empreints des signes ineffaçables d'une haletante avidité ? Que veulent-ils ? De l'or, ou du plaisir ?

Quelques observations sur l'âme de Paris peuvent expliquer les causes de sa physionomie cadavéreuse qui n'a que deux âges, ou la jeunesse ou la caducité : jeunesse blafarde et sans couleur, caducité fardée qui veut paraître jeune. En voyant ce peuple exhumé, les étrangers, qui ne sont pas tenus de réfléchir, éprouvent tout d'abord un mouvement de dégoût pour cette capitale, vaste atelier de jouissances, d'où bientôt eux-mêmes ils ne peuvent sortir, et restent à s'y déformer volontiers. Peu de mots suffiront pour justifier physiologiquement la teinte presque infernale des figures parisiennes, car ce n'est pas seulement par plaisanterie que Paris a été nommé un enfer. Tenez ce mot pour vrai. Là, tout fume, tout brûle, tout brille, tout bouillonne, tout flambe, s'évapore, s'éteint, se rallume, étincelle, pétille et se consume. Jamais vie en aucun pays ne fut plus ardente, ni plus cuisante. Cette nature sociale toujours en fusion semble se dire après chaque œuvre finie: « A une autre! » comme se le dit la nature elle-même. Comme la nature, cette nature sociale s'occupe d'insectes, de fleurs d'un jour, de bagatelles, d'éphémères, et jette aussi feu et flamme par son éternel cratère. Peut-être avant d'analyser les causes qui font une physionomie spéciale à chaque tribu de cette nation intelligente et mouvante, doit-on signaler la cause générale qui en décolore, blêmit, bleuit et brunit plus ou moins les individus.

A force de s'intéresser à tout, le Parisien finit par ne s'intéresser à rien. Aucun sentiment ne dominant sur sa face usée par le frottement, elle devient grise comme le plâtre des maisons qui a reçu toute espèce de poussière et de fumée. En effet, indifférent la veille à ce dont il s'enivrera le lendemain, le Parisien vit en enfant quel que soit son âge. Il murmure de tout, se console de tout, se moque de tout, oublie tout, veut tout, goûte à tout, prend tout avec passion, quitte tout avec insouciance ; ses rois, ses conquêtes, sa gloire, son idole, qu'elle soit de bronze ou de verre ; comme il jette ses bas, ses chapeaux et sa fortune. A Paris, aucun sentiment ne résiste au jet des choses, et leur courant oblige à une lutte qui détend les passions : l'amour y est un désir, et la haine une velléité ; il n'y a là de vrai parent que le billet de mille francs, d'autre ami que le Mont-de-Piété. Ce laissez-aller général porte ses fruits ; et, dans le salon, comme dans la rue, personne n'y est de trop, personne n'y est absolument utile, ni absolument nuisible : les sots et les fripons, comme les gens d'esprit ou de probité. Tout y est toléré, le gouvernement et la guillotine, la religion et le choléra. Vous convenez toujours à ce monde, vous n'y manquez jamais. Qui donc domine en ce pays sans mœurs, sans croyance, sans aucun sentiment ; mais d'où partent et où aboutissent tous les sentiments, toutes les croyances et toutes les mœurs ? L'or et le plaisir. Prenez ces deux mots comme une lumière et parcourez cette grande cage de plâtre, cette ruche à ruisseaux noirs, et suivez-y les serpenteaux de cette pensée qui l'agite, la soulève, la travaille ? Voyez. Examinez d'abord le monde qui n'a rien ?

L'ouvrier, le prolétaire, l'homme qui remue ses pieds, ses mains, sa langue, son dos, son seul bras, ses cinq doigts pour vivre ; eh ! bien, celui-là qui, le premier, devrait économiser le principe de sa vie, il outrepasse ses forces, attelle sa femme à quelque machine, use son enfant et le cloue à un rouage. Le fabricant, le je ne sais quel fil secondaire dont le branle agite ce peuple qui, de ses mains sales, tourne et dore les porcelaines, coud les habits et les robes, amincit le fer, amenuise le bois, tisse l'acier, solidifie le chanvre et le fil, satine les bronzes, festonne le cristal, imite les fleurs, brode la laine, dresse les chevaux, tresse les harnais et les galons, découpe le cuivre, peint les voitures, arrondit les vieux ormeaux, vaporise le coton, souffle les tuls, corrode le diamant, polit les métaux, transforme en feuilles le marbre, lèche les cailloux, toilette la pensée, colore, blanchit et noircit tout ; eh ! bien, ce sous-chef est venu promettre à ce monde de sueur et de volonté, d'étude et de patience, un salaire excessif, soit au nom des caprices de la ville, soit à la voix du monstre nommé Spéculation. Alors ces quadrumanes se sont mis à veiller, pâtir, travailler, jurer, jeûner, marcher ; tous se sont excédés pour gagner cet or qui les fascine. Puis, insouciants de l'avenir, avides de jouissances, comptant sur leurs bras comme le peintre sur sa palette, ils jettent, grands seigneurs d'un jour, leur argent le lundi dans les cabarets, qui font une enceinte de boue à la ville ; ceinture de la plus impudique des Vénus, incessamment pliée et dépliée, où se perd comme au jeu la fortune périodique de ce peuple, aussi féroce au plaisir qu'il est tranquille au travail. Pendant cinq jours donc, aucun repos pour cette partie agissante de Paris ! Elle se livre à des mouvements qui la font se gauchir, se grossir, maigrir, pâlir, jaillir en mille jets de volonté créatrice. Puis son plaisir, son repos est une lassante débauche, brune de peau, noire de tapes, blême d'ivresse, ou jaune d'indigestion, qui ne dure que deux jours, mais qui vole le pain de l'avenir, la soupe de la semaine, les robes de la femme, les langes de l'enfant tout en haillons. Ces hommes, nés sans doute pour être beaux, car toute créature a sa beauté relative, se sont enrégimentés, dès l'enfance, sous le commandement de la force, sous le règne du marteau, des cisailles, de la filature, et se sont promptement vulcanisés. Vulcain, avec sa laideur et sa force, n'est-il pas l'emblème de cette laide et forte nation, sublime d'intelligence mécanique, patiente à ses heures, terrible un jour par siècle, inflammable comme la poudre, et préparée à l'incendie révolutionnaire par l'eau-de-vie, enfin assez spirituelle pour prendre feu sur un mot captieux qui signifie toujours pour elle : or et plaisir ! En comprenant tous ceux qui tendent la main pour une aumône, pour de légitimes salaires ou pour les cinq francs accordés à tous les genres de prostitution parisienne, enfin pour tout argent bien ou mal gagné, ce peuple compte trois cent mille individus. Sans les cabarets, le gouvernement ne serait-il pas renversé tous les mardis ? Heureusement, le mardi, ce peuple est engourdi, cuve son plaisir, n'a plus le sou, et retourne au travail, au pain sec, stimulé par un besoin de procréation matérielle qui, pour lui, devient une habitude. Néanmoins ce peuple a ses phénomènes de vertu, ses hommes complets, ses

Napoléons inconnus, qui sont le type de ses forces portées à leur plus haute expression, et résument sa portée sociale dans une existence où la pensée et le mouvement se combinent moins pour y jeter de la joie que pour y régulariser l'action de la douleur.

Le hasard a fait un ouvrier économe, le hasard l'a gratifié d'une pensée, il a pu jeter les yeux sur l'avenir, il a rencontré une femme, il s'est trouvé père, et après quelques années de privations dures il entreprend un petit commerce de mercerie, loue une boutique. Si ni la maladie ni le vice ne l'arrêtent en sa voie, s'il a prospéré, voici le croquis de cette vie normale.

Et, d'abord, saluez ce roi du mouvement parisien, qui s'est soumis le temps et l'espace. Oui, saluez cette créature composée de salpêtre et de gaz qui donne des enfants à la France pendant ses nuits laborieuses, et remultiplie pendant le jour son individu pour le service, la gloire et le plaisir de ses concitoyens. Cet homme résout le problème de suffire, à la fois, à une femme aimable, à son ménage, au *Constitutionnel,* à son bureau, à la Garde nationale, à l'Opéra, à Dieu; mais pour transformer en écus *le Constitutionnel,* le Bureau, l'Opéra, la Garde nationale, la femme et Dieu.

Enfin, saluez un irréprochable cumulard. Levé tous les jours à cinq heures, il a franchi comme un oiseau l'espace qui sépare son domicile de la rue Montmartre. Qu'il vente ou tonne, pleuve ou neige, il est au *Constitutionnel* et y attend la charge de journaux dont il a soumissionné la distribution. Il reçoit ce pain politique avec avidité, le prend et le porte. A neuf heures, il est au sein de son ménage, débite un calembour à sa femme, lui dérobe un gros baiser, déguste une tasse de café ou gronde ses enfants. A dix heures moins un quart, il apparaît à la mairie. Là, posé sur un fauteuil, comme un perroquet sur son bâton, chauffé par la ville de Paris, il inscrit jusqu'à quatre heures, sans leur donner une larme ou un sourire, les décès et les naissances de tout un arrondissement. Le bonheur, le malheur du quartier passe par le bec de sa plume, comme l'esprit du *Constitutionnel* voyageait naguère sur ses épaules. Rien ne lui pèse ! Il va toujours droit devant lui, prend son patriotisme tout fait dans le journal, ne contredit personne, crie ou applaudit avec tout le monde, et vit en hirondelle. A deux pas de sa paroisse, il peut, en cas d'une cérémonie importante, laisser sa place à un surnuméraire, et aller chanter un *requiem* au lutrin de l'église, dont il est, le dimanche et les jours de fête, le plus bel ornement, la voix la plus imposante, où il tord avec énergie sa large bouche en faisant tonner un joyeux *Amen.* Il est chantre. Libéré à quatre heures de son service officiel, il apparaît pour répandre la joie et la gaieté au sein de la boutique la plus célèbre qui soit en la Cité. Heureuse est sa femme, il n'a pas le temps d'être jaloux ; il est plutôt homme d'action que de sentiment. Aussi, dès qu'il arrive, agace-t-il les demoiselles de comptoir, dont les yeux vifs attirent force chalands ; se gaudit au sein des parures, des fichus, de la mousseline façonnée par ces habiles ouvrières ; ou, plus souvent encore, avant de dîner, il sert une pratique, copie une page du journal ou porte chez l'huissier quelque effet en retard. A six heures, tous les deux jours, il est fidèle à son poste. Inamovible basse-taille des chœurs, il se trouve à l'Opéra, prêt à y devenir soldat, Arabe, prisonnier, sauvage, paysan, ombre, patte de chameau, lion, diable, génie, esclave, eunuque noir ou blanc, toujours expert à produire de la joie, de la douleur, de la pitié, de l'étonnement, à pousser d'invariables cris, à se taire, à chasser, à se battre, à représenter Rome ou l'Egypte ; mais toujours *in petto,* mercier. A minuit, il redevient bon mari, homme, tendre père, il se glisse dans le lit conjugal, l'imagination encore tendue par les formes décevantes des nymphes de l'Opéra, et fait ainsi tourner, au profit de l'amour conjugal, les dépravations du monde et les voluptueux ronds de jambe de la Taglioni. Enfin, s'il dort, il dort vite, et dépêche son sommeil comme il a dépêché sa vie. N'est-ce pas le mouvement fait homme, l'espace incarné, le protée de la civilisation ? Cet homme résume tout : histoire, littérature, politique, gouvernement, religion, art militaire. N'est-ce pas une encyclopédie vivante, un atlas grotesque sans cesse en marche comme Paris et qui jamais ne repose ? En lui tout est jambes. Aucune physionomie ne saurait se conserver pure en de tels travaux. Peut-être l'ouvrier qui meurt vieux à trente ans, l'estomac tanné par les doses progressives de son eau-de-vie, sera-t-il trouvé, au dire de quelques philosophes bien rentés, plus heureux que ne l'est le mercier. L'un périt d'un seul coup et l'autre en détail. De ses huit industries, de ses épaules, de son gosier, de ses mains, de sa femme et de son commerce, celui-ci retire, comme d'autres de fermes, des enfants, quelques mille francs et le plus laborieux bonheur qui ait jamais récréé cœur d'homme. Cette fortune et ces enfants, ou les enfants qui résument tout pour lui, deviennent la proie du monde supérieur, auquel il porte ses écus et sa fille, ou son fils élève au collège, qui, plus instruit que ne l'est son père, jette plus haut ses regards ambitieux. Souvent le cadet d'un petit détaillant veut être quelque chose dans l'Etat.

Cette ambition introduit la pensée dans la seconde des sphères parisiennes. Montez donc un étage et allez à l'entresol ; ou descendez du grenier et restez au quatrième ; enfin, pénétrez dans le monde qui a quelque chose : là, même résultat. Les commerçants en gros et leurs garçons, les employés, les gens de la petite banque et de grande probité, les fripons, les âmes damnées, les premiers et les derniers commis, les clercs de l'huissier, de l'avoué, du notaire, enfin les membres agissants, pensants, spéculants de cette petite bourgeoisie qui triture les intérêts de Paris et veille à son grain, accapare les denrées, emmagasine les produits fabriqués par les prolétaires, encaque les fruits du Midi, les poissons de l'Océan, les vins de toute côte aimée du soleil ; qui étend les mains sur l'Orient, y prend les châles dédaignés par les Turcs et les Russes ; va récolter jusque dans les Indes, se couche pour attendre la vente, aspire après le bénéfice, escompte les effets, roule et encaisse toutes les valeurs ; emballe en détail Paris tout entier, le voiture, guette les fantaisies de l'enfance, épie les caprices et les vices de l'âge mûr, en pressure les maladies ; eh ! bien, sans boire de l'eau-de-vie comme l'ouvrier, ni sans aller se vautrer dans la fange des barrières, tous excèdent aussi leurs forces ; tendent outre-mesure leur corps, et leur moral, l'un par l'autre ; se dessèchent de désirs, s'abîment de courses précipitées. Chez eux, la torsion physique s'accomplit sous le fouet des intérêts, sous le fléau des ambitions qui tourmentent les mondes élevés de cette monstrueuse cité, comme celle des prolétaires s'est accomplie sous le cruel balancier des élaborations matérielles incessamment désirées par le despotisme du *je le veux* aristocrate. Là donc aussi, pour obéir à ce maître universel, le plaisir ou l'or, il faut dévorer le temps, presser le temps, trouver plus de vingt-quatre heures dans le jour et la nuit, s'énerver, se tuer, vendre trente ans de vieillesse pour deux ans d'un repos maladif. Seulement l'ouvrier meurt à l'hôpital, quand son dernier terme de rabougrissement s'est opéré, tandis que le petit bourgeois persiste à vivre et vit, mais crétinisé : vous le rencontrez la face usée, plate, vieille, sans lueur aux yeux, sans fermeté dans la jambe, se traînant d'un air hébété sur le boulevard, la ceinture de sa Vénus, de sa ville chérie. Que voulait le bourgeois ? le briquet du garde national, un immuable pot-au-feu, une place décente au Père-Lachaise, et pour sa vieillesse un peu d'or légitimement gagné. Son lundi, à lui, est le dimanche ; son repos est la promenade en voiture de remise, la partie de campagne, pendant laquelle femme et enfants avalent joyeusement de la poussière ou se rôtissent au soleil ; sa barrière est le restaurateur dont le vénéneux dîner a du renom, ou quelque bal de famille où l'on étouffe jusqu'à minuit. Certains niais s'étonnent de la Saint-Guy dont sont atteints les monades que le microscope fait apercevoir dans une goutte d'eau, mais que dirait le Gargantua de Rabelais, figure d'une sublime audace incomprise, que dirait ce géant, tombé des sphères célestes, s'il s'amusait à contempler le mouvement de cette seconde vie parisienne, dont voici l'une des formules ? Avez-vous vu ces petites baraques, froides en été, sans autre foyer qu'une chaufferette en hiver, placées sous la vaste calotte de cuivre qui coiffe la halle au blé ? Madame est là dès le matin, elle est Factrice aux halles et gagne à ce métier douze mille francs par an, dit-on. Monsieur, quand madame se lève, passe dans un sombre cabinet, où il prête à la petite semaine, aux commerçants de son quartier. A neuf heures, il se trouve au bureau des passeports, dont il est un des sous-chefs. Le soir il est à la caisse du Théâtre-Italien, ou de tout autre théâtre qu'il vous plaira choisir. Les enfants sont mis en nourrice, et en reviennent pour aller au collège ou dans un pensionnat. Monsieur et madame demeurent à un troisième étage, n'ont qu'une cuisinière, donnent des bals dans un salon de douze pieds sur huit, et éclairé par des quinquets ; mais ils donnent cent cinquante mille francs à leur fille, et se reposent à cinquante ans, âge auquel ils commencent à paraître aux troisièmes loges à l'Opéra, dans un fiacre à Longchamp, ou en toilette fanée, tous les jours de soleil, sur les boulevards, l'espalier de ces fructifications. Estimés dans le quartier, aimés du gouvernement, alliés à la haute bourgeoisie, Monsieur obtient à soixante-cinq ans la croix de la Légion d'Honneur, et le père de son gendre, maire d'un arrondissement, l'invite à ses soirées. Ces travaux de toute une vie profitent donc à des enfants que cette petite bourgeoisie tend fatalement à élever jusqu'à la haute. Chaque sphère jette ainsi tout son frai dans sa sphère supérieure. Le fils du riche épicier se fait notaire, le fils du marchand de bois devient magistrat. Pas une dent ne manque à mordre sa rainure, et tout stimule le mouvement ascensionnel de l'argent.

Nous voici donc amenés au troisième cercle de cet enfer, qui, peut-être un jour, aura son DANTE. Dans ce troisième cercle social, espèce de ventre parisien, où se digèrent les intérêts de la ville et où ils se condensent sous la forme dite *affaires,* se remue et s'agite par un âcre et fielleux mouvement intestinal, la foule des avoués, médecins, notaires, avocats, gens d'affaires, banquiers, gros commerçants, spéculateurs, magistrats. Là, se rencontrent encore plus de causes pour la destruction physique et morale que partout ailleurs. Ces gens vivent, presque tous, en d'infectes Etudes, en des salles d'audiences empestées, dans de petits cabinets grillés, passent le jour courbés sous le poids des affaires, se lèvent dès l'aurore pour être en mesure, pour ne pas se laisser dévaliser, pour tout gagner ou pour ne rien perdre, pour saisir un homme ou son argent, pour emmancher ou démancher une affaire, pour tirer parti d'une circonstance fugitive, pour faire pendre ou acquitter un homme. Ils réagissent sur les chevaux, ils les crèvent, les surmènent, leur vieillissent, aussi à eux, les jambes avant le temps. Le temps est leur tyran, il leur manque, il leur échappe ; ils ne peuvent ni l'étendre, ni le resserrer. Quelle âme peut rester grande, pure, morale, généreuse, et conséquemment quelle figure demeure belle dans le dépravant exercice d'un métier qui force à supporter le poids des misères publiques, à les analyser, les peser, les estimer, les mettre en coupe réglée ? Ces gens-là déposent leur cœur, où ?... je ne sais ; mais ils le laissent quelque part, quand ils en ont un, avant de descendre tous les matins au fond des peines qui poignent les familles. Pour eux, point de mystères, ils voient l'envers de la société dont ils sont les confesseurs, et la méprisent. Or, quoi qu'ils fassent, à force de se mesurer avec la corruption, ils en ont horreur et s'attristent ; ou par lassitude, par transaction secrète, ils l'épousent ; enfin, nécessairement, ils se blasent sur tous les sentiments, eux que les lois, les hommes, les institutions font voler comme des choucas sur les cadavres encore chauds. A toute heure, l'homme d'argent pèse les vivants, l'homme des contrats pèse les morts, l'homme de loi pèse la conscience. Obligés de parler sans cesse, tous remplacent l'idée par la parole, le sentiment par la phrase, et leur âme devient un larynx. Ils s'usent et se démoralisent. Ni le grand négociant, ni le juge, ni l'avocat ne conservent leur sens droit : ils ne sentent plus, ils appliquent les règles que faussent les espèces. Emportés par leur existence torrentueuse, ils ne sont ni époux, ni pères, ni amants ; ils glissent à la ramasse sur les choses de la vie, et vivent à toute heure, poussés par les affaires de la grande cité. Quand ils rentrent chez eux, ils sont requis d'aller au bal, à l'Opéra, dans les fêtes où ils vont se faire des clients, des connaissances, des protecteurs. Tous mangent démesurément, jouent, veillent, et leurs figures s'arrondissent, s'aplatissent, se rougissent. A de si terribles dépenses de forces intellectuelles, à des contractions morales si multipliées, ils opposent non pas le plaisir, il est trop pâle et ne produit aucun contraste, mais la débauche, débauche secrète, effrayante, car ils peuvent disposer de tout, et font la morale de la société. Leur stupidité réelle se cache sous une science spéciale. Ils savent leur métier, mais ils ignorent tout de ce qui n'en est pas. Alors, pour sauver leur amour-propre, ils mettent tout en question, critiquent à tort et à travers ; paraissent douteurs et sont gobe-mouches en réalité, noient leur esprit dans leurs interminables discussions. Presque tous adoptent commodément les préjugés sociaux, littéraires ou politiques pour se dispenser d'avoir une opinion ; de même qu'ils mettent leurs consciences à l'abri du code, ou du tribunal de commerce. Partis de bonne heure pour être des hommes remarquables, ils deviennent médiocres, et rampent sur les sommités du monde. Aussi leurs figures offrent-elles cette pâleur aigre, ces colorations fausses, ces yeux ternis, cernés, ces bouches bavardes et sensuelles où l'observateur reconnaît les symptômes de l'abâtardissement de la pensée et sa rotation dans le cirque d'une spécialité qui tue les facultés génératives du cerveau, le don de voir en grand, de généraliser et de déduire. Ils se ratatinent presque tous dans la fournaise des affaires. Aussi jamais un homme qui s'est laissé prendre dans les concassations ou dans l'engrenage de ces immenses machines, ne peut-il devenir grand. S'il est médecin, ou il a peu fait la médecine, ou il est une exception, un Bichat qui meurt jeune. Si, grand négociant, il reste quelque chose, il est presque Jacques Cœur. Robespierre exerça-t-il ? Danton était un paresseux qui attendait. Mais qui d'ailleurs a jamais envié les figures de Danton et de Robespierre, quelque superbes qu'elles puissent être ? Ces affairés par excellence attirent à eux l'argent et l'entassent pour s'allier aux familles aristocratiques. Si l'ambition de l'ouvrier est celle du petit bourgeois, ici, mêmes passions encore. A Paris, la vanité résume toutes les passions. Le type de cette classe serait soit le bourgeois ambitieux, qui, après une vie d'angoisses et de manœuvres continuelles, passe au Conseil d'Etat comme une fourmi passe par une fente ; soit quelque rédacteur de journal, roué d'intrigues, que le roi fait Pair de France peut-être pour se venger de la Noblesse ;

soit quelque notaire devenu Maire de son arrondissement, tous gens laminés par les affaires et qui, s'ils arrivent à leur but, y arrivent *tués*. En France, l'usage est d'introniser la perruque. Napoléon, Louis XIV, les grands rois seuls ont toujours voulu des jeunes gens pour mener leurs desseins.

Au-dessus de cette sphère, vit le monde artiste. Mais là encore les visages marqués du sceau de l'originalité, sont noblement brisés, mais brisés, fatigués, sinueux. Excédés par un besoin de produire, dépassés par leurs coûteuses fantaisies, lassés par un génie dévoreur, affamés de plaisir, les artistes de Paris veulent tous regagner par d'excessifs travaux les lacunes laissées par la paresse, et cherchent vainement à concilier le monde et la gloire, l'argent et l'art. En commençant, l'artiste est sans cesse haletant sous le créancier ; ses besoins enfantent les dettes, et ses dettes lui demandent ses nuits. Après le travail, le plaisir. Le comédien joue jusqu'à minuit, étudie le matin, répète à midi ; le sculpteur plie sous sa statue ; le journaliste est une pensée en marche comme le soldat en guerre ; le peintre en vogue est accablé d'ouvrage, le peintre sans occupation se ronge les entrailles s'il se sent homme de génie. La concurrence, les rivalités, les calomnies assassinent ces talents. Les uns, désespérés, roulent dans les abîmes du vice, les autres meurent jeunes et ignorés pour s'être escompté trop tôt leur avenir. Peu de ces figures, primitivement sublimes, restent belles. D'ailleurs la beauté flamboyante de leurs têtes demeure incomprise. Un visage d'artiste est toujours exorbitant, il se trouve toujours en dessus ou en dessous des lignes convenues pour ce que les imbéciles nomment le beau idéal. Quelle puissance les détruit ? La passion. Toute passion à Paris se résout par deux termes : or et plaisir.

Maintenant, ne respirez-vous pas ? Ne sentez-vous pas l'air et l'espace purifiés ? Ici ni travaux ni peines. La tournoyante volute de l'or a gagné les sommités. Du fond des soupiraux où commencent ses rigoles, du fond des boutiques où l'arrêtent de chétifs batardeaux, du sein des comptoirs et des grandes officines où il se laisse mettre en barres, l'or, sous forme de dots ou de successions, amené par la main des jeunes filles ou par les mains ossues du vieillard, jaillit vers la gent aristocratique où il va reluire, s'étaler, ruisseler. Mais avant de quitter les quatre terrains sur lesquels s'appuie la haute propriété parisienne, ne faut-il pas, après les causes morales dites, déduire les causes physiques, et faire observer une peste, pour ainsi dire sous-jacente, qui constamment agit sur le visage du portier, du boutiquier, de l'ouvrier ; signaler une délétère influence dont la corruption égale celle des administrateurs parisiens qui la laissent complaisamment subsister ! Si l'air des maisons où vivent la plupart des bourgeois est infect, si l'atmosphère des rues crache des miasmes cruels en des arrière-boutiques où l'air se raréfie ; sachez qu'outre cette pestilence, les quarante mille maisons de cette grande ville baignent leurs pieds en des immondices que le pouvoir n'a pas encore voulu sérieusement enceindre de murs en béton qui pussent empêcher la plus fétide boue de filtrer à travers le sol, d'y empoisonner les puits et de continuer souterrainement à Lutèce son nom célèbre. La moitié de Paris couche dans les exhalaisons putrides des cours, des rues et des basses œuvres. Mais abordons les grands salons aérés et dorés, les hôtels à jardins, le monde riche, oisif, heureux, renté. Les figures y sont étiolées et rongées par la vanité. Là rien de réel. Chercher le plaisir, n'est-ce pas trouver l'ennui ? Les gens du monde ont de bonne heure fourbu leur nature. N'étant occupés qu'à se fabriquer de la joie, ils ont promptement abusé de leurs sens, comme l'ouvrier abuse de l'eau-de-vie. Le plaisir est comme certaines substances médicales : pour obtenir constamment les mêmes effets, il faut doubler les doses, et la mort ou l'abrutissement est contenu dans la dernière. Toutes les classes inférieures sont tapies devant les riches et en guettent les goûts pour en faire des vices et les exploiter. Comment résister aux habiles séductions qui se trament en ce pays ? Aussi Paris a-t-il ses thériakis, pour qui le jeu, la gastrolâtrie ou la courtisane sont un opium. Aussi voyez-vous de bonne heure à ces gens-là des goûts et non des passions, des fantaisies romanesques et des amours frileux. Là règne l'impuissance ; là plus d'idées, elles ont passé comme l'énergie dans les simagrées du boudoir, dans les singeries féminines. Il y a des blancs-becs de quarante ans, de vieux docteurs de seize ans. Les riches rencontrent à Paris de l'esprit tout fait, la science toute mâchée, des opinions toutes formulées qui les dispensent d'avoir esprit, science ou opinion. Dans ce monde, la déraison est égale à la faiblesse ou au libertinage. On y est avare de temps à force d'en perdre. N'y cherchez pas plus d'affections que d'idées. Les embrassades couvrent une profonde indifférence, et la politesse un mépris continuel. On n'y aime jamais autrui. Des saillies sans profondeur, beaucoup d'indiscrétions, des commérages, par-dessus tout des lieux communs ; tel est le fond de leur langage ; mais ces malheureux *Heureux* prétendent qu'ils ne se rassemblent pas pour dire et faire des maximes à la façon de La Rochefoucauld ; comme s'il n'existait pas un milieu, trouvé par le dix-huitième siècle, entre le trop plein et le vide absolu. Si quelques hommes valides usent d'une plaisanterie fine et légère, elle est incomprise ; bientôt fatigués de donner sans recevoir, ils restent chez eux et laissent régner les sots sur leur terrain. Cette vie creuse, cette attente continuelle d'un plaisir qui n'arrive jamais, cet ennui permanent, cette inanité d'esprit, de cœur et de cervelle, cette lassitude du grand raoût parisien se reproduisent sur les traits, et confectionnent ces visages de carton, ces rides prématurées, cette physionomie des riches où grimace l'impuissance, où se reflète l'or, et d'où l'intelligence a fui.

Cette vue du Paris moral prouve que le Paris physique ne saurait être autrement qu'il n'est. Cette ville à diadème est une reine qui, toujours grosse, a des envies irrésistiblement furieuses. Paris est la tête du globe, un cerveau qui crève de génie et conduit la civilisation humaine, un grand homme, un artiste incessamment créateur, un politique à seconde vue qui doit nécessairement avoir les rides du cerveau, les vices du grand homme, les fantaisies de l'artiste et les blasements du politique. Sa physionomie sous-entend la germination du bien et du mal, le combat et la victoire ; la bataille morale de 89 dont les trompettes retentissent encore dans tous les coins du monde ; et aussi l'abattement de 1814. Cette ville ne peut donc pas être plus morale, ni plus cordiale, ni plus propre que ne l'est la chaudière motrice de ces magnifiques pyroscaphes que vous admirez fendant les ondes ! Paris n'est-il pas un sublime vaisseau chargé d'intelligence ? Oui, ses armes sont un de ces oracles que se permet quelquefois la fatalité. LA VILLE DE PARIS a son grand mât tout de bronze, sculpté de victoires, et pour vigie Napoléon. Cette nef a bien son tangage et son roulis ; mais elle sillonne le monde, y fait feu par les cent bouches de ses tribunes, laboure les mers scientifiques, y vogue à pleines voiles, crie du haut de ses huniers par la voix de ses savants et de ses artistes : « En avant, marchez ! suivez-moi ! » Elle porte un équipage immense qui se plaît à la pavoiser de nouvelles banderoles. Ce sont mousses et gamins riant dans les cordages ; lest de lourde bourgeoisie ; ouvriers et matelots goudronnés ; dans ses cabines, les heureux passagers ; d'élégants midshipmen fument leurs cigares, penchés sur le bastingage ; puis sur le tillac, ses soldats, novateurs ou ambitieux, vont aborder à tous les rivages, et, tout en y répandant de vives lueurs, demandent de la gloire qui est un plaisir, ou des amours qui veulent de l'or.

Donc le mouvement exorbitant des prolétaires, donc la dépravation des intérêts qui broient les deux bourgeoisies, donc les cruautés de la pensée artiste, et les excès du plaisir incessamment cherché par les grands, expliquent la laideur normale de la physionomie parisienne. En Orient seulement, la race humaine offre un buste magnifique ; mais il est un effet du calme constant affecté par ces profonds philosophes à longue pipe, à petites jambes, à torses carrés, qui méprisent le mouvement et l'ont en horreur ; tandis qu'à Paris, Petits, Moyens et Grands courent, sautent et cabriolent, fouettés par une impitoyable déesse, la Nécessité : nécessité d'argent, de gloire ou d'amusement. Aussi quelque visage frais, reposé, gracieux, vraiment jeune y est-il la plus extraordinaire des exceptions : il s'y rencontre rarement. Si vous en voyez un, assurément il appartient à un ecclésiastique jeune et fervent, ou à quelque bon abbé quadragénaire, à triple menton ; à une jeune personne de mœurs pures comme il s'en élève dans certaines familles bourgeoises ; à une mère de vingt ans, encore pleine d'illusions et qui allaite son premier né ; à un jeune homme frais débarqué de province, et confié à une douairière dévote qui le laisse sans un sou ; ou peut-être à quelque garçon de boutique, qui se couche à minuit, bien fatigué d'avoir plié ou déplié du calicot, et qui se lève à sept heures pour arranger l'étalage ; ou, souvent à un homme de science ou de poësie, qui vit monastiquement en bonne fortune avec une belle idée, qui demeure sobre, patient et chaste ; ou à quelque sot, content de lui-même, se nourrissant de bêtise, crevant de santé, toujours occupé de se sourire à lui-même ; ou à l'heureuse et molle espèce de flâneurs, les seuls gens réellement heureux à Paris, et qui en dégustent à chaque heure les mouvantes poësies. Néanmoins, il est à Paris une portion d'êtres privilégiés auxquels profite ce mouvement excessif des fabrications, des intérêts, des affaires, des arts et de l'or. Ces êtres sont les femmes. Quoiqu'elles aient aussi mille causes secrètes qui là, plus qu'ailleurs, détruisent leur physionomie, il se rencontre, dans le monde féminin, de petites peuplades heureuses qui vivent à l'orientale, et peuvent conserver leur beauté ; mais ces femmes se montrent rarement à pied dans les rues, elles demeurent cachées, comme des plantes rares qui ne déploient leurs pétales qu'à certaines heures, et qui constituent de véritables exceptions exotiques. Cependant Paris est esentiellement aussi le pays des contrastes. Si les sentiments vrais y sont rares, il se rencontre aussi, là comme ailleurs, de nobles amitiés, des dévouements sans bornes. Sur ce champ de bataille des intérêts et des passions, de même qu'au milieu de ces sociétés en marche où triomphe l'égoïsme, où chacun est obligé de se défendre lui seul, et que nous appelons des *armées,* il semble que les sentiments se plaisent à être complets quand ils se montrent, et sont sublimes par juxtaposition. Ainsi des figures. A Paris, parfois, dans la haute aristocratie, se voient clairsemés quelques ravissants visages de jeunes gens, fruits d'une éducation et de mœurs tout exceptionnelles. A la juvénile beauté du sang anglais ils unissent la fermeté des traits méridionaux, l'esprit français, la pureté de la forme. Le feu de leurs yeux, une délicieuse rougeur de lèvres, le noir lustré de leur chevelure fine, un teint blanc, une coupe de visage distinguée les rendent de belles fleurs humaines, magnifiques à voir sur la masse des autres physionomies, ternies, vieillottes, crochues, grimaçantes. Aussi les femmes admirent-elles aussitôt ces jeunes gens avec ce plaisir avide que prennent les hommes à regarder une jolie personne, décente, gracieuse, décorée de toutes les virginités dont notre imagination se plaît à embellir la fille parfaite. Si ce coup d'œil rapidement jeté sur la population de Paris a fait concevoir la rareté d'une figure raphaëlesque, et l'admiration passionnée qu'elle y doit inspirer à première vue, le principal intérêt de notre histoire se trouvera justifié. *Quod erat demonstrandum,* ce qui était à démontrer, s'il est permis d'appliquer les formules de la scolastique à la science des mœurs.

La Fille aux yeux d'or,
1834-1835.

LA COUR DES MESSAGERIES ROYALES

> C'était un de ces voyageurs incommodes et peu sociaux, qui sont dans une voiture comme un pourceau résigné que l'on mène les pattes liées au marché voisin. Ils commencent par s'emparer de toute leur place légale, grognent un peu, et finissent par s'endormir sans aucun respect humain.
>
> H. Balzac.

De tous les endroits publics ouverts aux besoins, à l'inoccupation ou à l'observation des Parisiens, il en est peu qui présentent une plus grande variété de situations et de détails que la cour des Messageries royales, vaste théâtre de tous les genres d'émotions, de toutes sortes de sensibilités, de scènes tout à la fois intéressantes, bizarres et fantasques.

Dès le matin, on voit arriver par toutes les issues

un grand nombre d'amis du voyageur matinal, qui, après avoir passé une partie de la nuit à fermer ses malles, a succombé au sommeil qu'il avait bravé jusque-là, et auquel d'agréables songes font oublier l'heure du départ.

Ses parents arrivent à leur tour avec des yeux tout gonflés par l'envie de dormir, et qui, faute de sommeil, ne demandent qu'à pleurer. Les femmes, toujours sensibles, ont négligé les toilettes pour arriver plus tôt ; les amis sincères, tristes et silencieux, se promènent en songeant à leurs affaires, et toutes ces différentes raisons tiennent éloignés les uns des autres des gens tous venus pour le même objet.

Cependant, le temps s'écoule, la cour s'emplit, les chevaux arrivent, les postillons jurent, les ballots sont pesés, l'activité qui règne distrait toutes les rêveries ; alors, on se reconnaît, on se salue, on entre en conversation, on se fait mutuellement part du regret qu'on éprouve du départ d'un ami dont on énumère toutes les qualités, et le voyageur attendu n'arrive pas. – On le remarque, mais qu'y faire ? – Une dame propose d'envoyer chez lui, parce qu'elle pense bien que personne ne l'engagera à y aller elle-même. – Tout le monde convient que c'est ce qu'il y a de mieux à faire, mais personne n'y va.

– D'ailleurs, il y a encore cinq minutes, il va sans doute arriver. Et l'on reprend la conversation.

Sept heures sonnent : le postillon enfourche son cheval, un gros homme sort du bureau, la liste des voyageurs en main, et le cri fatal : *En voiture !* à la bouche. A ces mots, toutes conversations raisonnables cessent ; de tous les coins de la cour, on s'élance sur la voiture ; on se presse, on se pousse, on l'entoure ; on dirait que tout le monde veut l'envahir, et personne n'y entre. Déjà on a appelé trois individus, et le premier est encore ballotté entre les embrassements inconsolables. On ne peut plus se séparer, on a l'air attaché l'un à l'autre ; la douleur, la confusion engendrent les méprises, les femmes jolies sont plus souvent ou mieux embrassées. Enfin, on monte, les portières se ferment et les adieux continuent toujours : les uns crient comme des noyés sans pouvoir se faire entendre, d'autres se parlent des yeux et se comprennent mieux. Le coup de fouet du départ retentit, accompagné des cris glapissants de « Bon voyage !... Adieu !... Merci !... » La maison roulante s'ébranle lourdement, disparaît, et avec elle la foule des âmes sensibles.

Alors, les amis du retardataire, qui sont venus pour pleurer aussi, sont fort mécontents. Ils restent seuls de cette quantité de personnes qui les entouraient tout à l'heure ; ils s'indignent de la négligence insouciante du cher ami : on avait fait son éloge à l'unanimité, maintenant commence le chapitre des défauts... Mais le voilà qui arrive. Trop peu d'amis l'attendaient déjà, une douzaine le suivent encore. Il court tout haletant, embarrassé d'un pesant carrick, un sac de nuit d'une main, un portemanteau de l'autre. Aussitôt, on s'élance vers lui, on lui saute au cou, on lui dit en l'embrassant tendrement que la voiture est partie... Alors, il jure, il tempête, repousse toute caresse, brusque toute affection, et monte précipitamment dans un cabriolet qui lui permet de rattraper la diligence. C'est ainsi qu'il quitte une troupe d'amis dont il n'a partagé l'émotion qu'ils venaient pour éprouver, et eux se retirent contrariés de ce qu'il ne s'est pas levé de plus grand matin pour consacrer à l'amitié les quatre minutes de rigueur réservées aux doux épanchements d'une sensibilité gesticulaire.

Voilà le riche parti, il n'a pas fait attention à l'empressement affecté de ses parasites ou de ses débiteurs. C'est fâcheux pour eux. Mais remarquons, pour ce nouveau départ, les adieux modestes et attendrissants de l'humble cultivateur, entouré de sa femme, de sa fille et de son fidèle chien. Ici, point de cris, point d'exclamations : toute la sensibilité de cette scène touchante et concentrée, et, par là, plus expressive encore. Une larme vient mouiller la paupière de ce père bien-aimé. Il a embrassé sa femme et sa fille chéries, déjà la voiture qui l'emporte est bien loin, et, les yeux fixés à terre, toujours à la même place, elles n'ont point encore songé à se consoler mutuellement.

Point d'apparence de prochain départ, et la cour est encore pleine. Que font donc tous ces gens, le nez en l'air et en si grand nombre ? – Ils attendent. – C'est encore bien pis qu'auparavant. Là, chacun est poussé un peu par curiosité, un peu par l'envie de revoir quelqu'un absent depuis longtemps, par le besoin de savoir d'où il vient, où il va, ce qu'il compte faire, et surtout par le désir de lui donner une preuve d'amitié sincère, en étant un des premiers pendus à son cou.

Mais l'ardeur des chevaux ne répond point à l'anxiété de toutes ces diverses impatiences. Enfin, un roulement sourd, accompagné de hennissements, se fait entendre ; alors, toute la population attendante s'élance sur la diligence, l'accompagne en sautillant jusqu'au lieu où elle s'arrête, pénètre des yeux dans tous les recoins, en obstrue les portières, en arrache et s'en dispute les voyageurs. Les trois quarts au moins de ceux qui se pressent si fort le font inutilement : ce n'est pas la voiture qu'ils désirent ! mais, comme ils n'en sont convaincus que plus tard, ils restent en place entre les attendants et les attendus, coudoyés, heurtés, poussés et témoins d'une joie qu'ils ne partagent point. Impossible de faire un pas ; on s'embrasse, on se questionne de tous côtés sans répondre nulle part, et la foule ne se détache enfin de la voiture, dont on dirait qu'elle fait partie, que quand quelque malle tombée de l'impériale vient troubler la commune joie et éclaircir les rangs des obstruants. Alors, on va à l'écart, c'est-à-dire au milieu de la cour. Là, on respire, on s'embrasse encore, on pleure derechef, on questionne toujours. Mais les élans de l'amitié sont troublés de nouveau : cinq chevaux d'une autre diligence arrivent au grand trot, qui renversent et culbutent tous ceux que l'émotion a empêchés d'entendre le *Gare !* blasphémateur d'un postillon courroucé. Pour le coup, la foule effrayée, et déjà bien moindre, se réfugie le long des murs et se disperse en autant de groupes qu'il y a de voyageurs débarqués. Les fiacres et les citadines en débarrassent la cour peu à peu, et bientôt d'autres scènes vont remplacer celles-ci.

La Caricature,
17 février 1831
(signé Henri B...).

La Grisette

«Ses amours ont duré toute une semaine...»

La Grisette est une fraction trop importante de la société parisienne, comme aussi de l'existence des jeunes citadins, pour n'être pas examinée sous quelques-unes des faces qui composent son piquant ensemble. Par exemple, sous le titre de Grisette, nous nous permettons de comprendre indifféremment couturières, modistes, fleuristes ou lingères, enfin tous ces gentils minois en cheveux, chapeaux, bonnets, tabliers à poches, et situés en magasins, quoique, entre elles, ces petites industrielles tiennent prodigieusement à une classification distinctive qui inquiète fort peu quiconque n'est pas dans la partie.

Je ne me souviens plus où j'ai lu que, dans la bienheureuse Espagne, tous les bâtards étaient gentilshommes par droit de naissance, comme pouvant descendre d'une famille titrée, et que dans une scrupuleuse incertitude, noblesse leur était dûment adjugée. Aussi, comme la plupart des orphelins s'adonnent à la domesticité, rien n'est-il plus commun que de voir de simples roturiers servis par des laquais anoblis. Ce souvenir me revient à la mémoire à propos de la gent Grisette, qui, avec sa physionomie originale, forme une catégorie à part des autres classes. En remontant à la source pour en chercher la cause, il me semble qu'on la pourrait trouver dans la probabilité d'une naissance particulière ; d'où il résulte qu'elles seraient toutes anoblies si elles avaient vu le jour dans la Péninsule. Ainsi donc, à part les exceptions, tirées à un aussi grand nombre d'exemplaires que voudra le lecteur, je généraliserai ma supposition pour tout le reste, et dirai que la Grisette me semble être le *résultat-médium* de ces rapports passagèrement intimes entre deux presque-extrémités de l'échelle sociale : l'une, mâle et distinguée ; l'autre, féminine et seulement piquante, toutes deux séparées par position, mais toutes deux rapprochées pendant un instant de la jeune vie par un besoin commun..., celui du plaisir.

Quelque étrange que puisse paraître, au premier abord, cette observation, à cause de sa nouveauté, elle doit trouver cependant des partisans après examen. Il suffit, pour la bien apprécier, de considérer l'existence de ces femmes-chiffons. On en trouve à peu près douze ou quinze dans un magasin de modes, de fleurs ou de coutures. Sur ce nombre, huit ou dix vivent toujours seules, sans parents, sans famille, passant gaiement la vie entre le travail et les plaisirs, l'indigence et les amourettes. Si, dans ce long trajet, traversé par mille encombres, le ciel leur envoie des filles, elles les élèvent auprès d'elles, comme elles, dans leur état, dans leurs principes. Quant à ces dernières, dès que l'âge le leur permet, elles suivent par précepte ce refrain qu'elles ont appris en tirant l'aiguille :

Tout comme a fait,
Tout comme a fait ma mère !

Et ainsi se renouvelle sans cesse, par une rotation reproductive, cette classe à part, macédoine sociale, à laquelle appartiennent ces petits êtres gentils à croquer, à l'air fripon, au nez retroussé, à la robe courte, à la jambe bien prise, qu'on nomme Grisettes.

Ce qui constitue l'originalité de la Grisette, c'est de n'avoir pas de caractère qui lui soit spécialement particulier. Ses manières ne sont qu'un bariolage des habitudes qui distinguent les autres rangs de la société. La Grisette, dans ses courts instants de dignité, sait parfaitement singer la grande dame.

Exemple :

— Monsieur, je ne vous connais pas !

Elle possède toute la câline urbanité de la petite bourgeoise.

Exemple :

— Il est des êtres bien aimables !...

Dans ses accès de sublimité, elle s'élève à la hauteur de toutes les sommités de ce genre.

Exemple :

– Dieu ! si un homme me battait ! ! !

Enfin, lorsqu'elle se laisse aller à un familier abandon, elle rappelle la classe au-dessus de laquelle est cependant.

Exemple :

– Faut-il qu'un homme soit... cornichon !

Mais ce qui lui appartient réellement, ce qui forme le cachet distinctif de sa physionomie, c'est sa grande indépendance dans l'exercice du sentiment, ce qui ne ressemble pas précisément à de la vertu, mais excuse au moins, jusqu'à un certain point, les fréquentes atteintes que cette dernière peut recevoir. Aucune autre ambition que celle du plaisir ne décide ses caprices. Ainsi, une passion honnête consciencieusement prouvée, des égards manifestés de temps à autre sous la forme d'une brioche, d'un billet de spectacle, ou d'une paire de gants ; une certaine dose de patience qui vous permette de prêter parfois votre bras pour la promenade, votre tête pour essayer des bonnets ou vos bas de soie pour danser au Ranelagh ; voilà de quoi faire tourner les plus fortes têtes de ces demoiselles et vous mériter les surnoms d'*Adonis ! – petit chat ! – mon amour ! – ma poule !* et autres jolies épithètes puisées dans un cours de mythologie appliquée à la tenue du sentiment en partie double.

Vouloir nier l'utilité de la Grisette, ce serait refuser de croire au mouvement. Comment donc assez louer, en effet, cette aptitude en tout genre, qui rattache indifféremment le bouton d'une culotte sentimentale, le nœud d'une cravate ou le ruban d'un bonnet fané ; cette apparence de gentillesse et de gracieuseté qui parfume les rues, embellit les magasins et charme d'humbles réduits. Voilà pour le pittoresque. Pour l'agréable, toute Grisette sait chanter juste et faire des crêpes. Pour l'utile, elle est rangée, quoique friande de distractions, et s'effraye des plaisirs coûteux. On a vu même la bourse d'un étudiant grossie des économies prescrites par une jolie compagne de fredaines, économies qui partaient en bloc, il est vrai, pour l'acquisition d'une robe ou d'un cachemire français, mais qui néanmoins avaient toujours été ravies au torrent de la dissipation.

Chaque Grisette réunit ici-bas la philosophie, l'épicurisme, le courage du travail et de la résignation. Ces vertus, propres aux grands caractères, lui sont indispensables à elle, pour, en arrivant au monde sans naissance ni fortune, ni rang, se créer l'un et l'autre, se suffire à elle-même, multiplier ses moyens d'industrie ; pour savoir travailler sans cesse, prendre la fortune comme elle vient, ne faire qu'un passe-temps de liaisons formées légèrement et rompues plus légèrement encore ; enfin, pour saccader ainsi la vie au milieu d'un rapide tourbillon de plaisirs et de peines, de sentiment et de volupté, et rester toujours Grisette !

La Caricature,
6 janvier 1831
(signé Henri B...).

L'ÉPICIER

D'autres, des ingrats, passent insouciamment devant la sacro-sainte boutique d'un épicier. Dieu vous en garde !

Quelque rebutant, crasseux, mal en casquette, que soit le garçon, quelque frais et réjoui que soit le maître, je les regarde avec sollicitude, et leur parle avec la déférence qu'a pour eux *le Constitutionnel.* Je laisse aller un mort, un évêque, un roi, sans y faire attention ; mais je ne vois jamais avec indifférence un épicier. A mes yeux, l'épicier, dont l'omnipotence ne date que d'un siècle, est une des plus belles expressions de la société moderne. N'est-il donc pas un être aussi sublime de résignation que remarquable par son utilité, une source constante de douceur, de lumière, de denrées bienfaisantes ? Enfin, n'est-il plus le ministre de l'Afrique, le chargé d'affaires des Indes et de l'Amérique ? Certes, l'épicier est tout cela ; mais, ce qui met le comble à ses perfections, il est tout cela sans s'en douter. L'obélisque sait-il qu'il est un monument ?

Ricaneurs infâmes, chez quel épicier êtes-vous entrés qui ne vous ait gracieusement souri, sa casquette à la main, tandis que vous gardiez votre chapeau sur la tête ? Le boucher est rude, le boulanger est pâle et grognon ; mais l'épicier, toujours prêt à obliger, montre dans tous les quartiers de Paris un visage aimable. Aussi, à quelque classe qu'appartienne le piéton dans l'embarras, ne s'adresse-t-il ni à la science rébarbative de l'horloger, ni au comptoir bastionné de viandes saignantes où trône la fraîche bouchère, ni à la grille défiante du boulanger ; entre toutes les boutiques ouvertes, il attend, il choisit celle de l'épicier pour changer une pièce de cent sous ou pour demander son chemin ; il est sûr que cet homme, le plus chrétien de tous les commerçants, est à tous, bien que le plus occupé ; car le temps qu'il donne aux passants, il se le vole à lui-même. Mais, quoique vous entriez pour le déranger, pour le mettre à contribution, il est certain qu'il vous saluera ; il vous marquera même de l'intérêt si l'entretien dépasse une simple interrogation et tourne à la confidence. Vous trouveriez plus facilement une femme mal faite qu'un épicier sans politesse. Retenez cet axiôme, répétez-le pour contrebalancer d'étranges calomnies.

Du haut de leur fausse grandeur, de leur implacable intelligence, ou de leurs barbes artistement taillées, quelques gens ont osé dire : *Raca !* à l'épicier. Ils ont fait de son nom un mot, une opinion, une chose, un système, une figure européenne et encyclopédique, comme sa boutique. On crie : « Vous êtes des épiciers ! » pour dire une infinité d'injures. Il est temps d'en finir avec ces Dioclétiens de l'épicerie. Que blâme-t-on chez l'épicier ? est-ce son pantalon plus ou moins brun, rouge, verdâtre ou chocolat ? ses bas bleus dans des chaussons, sa casquette de fausse loutre garnie d'un galon d'argent verdi ou d'or noirci, son tablier à pointe triangulaire arrivant au diaphragme ? Mais pouvez-vous punir en lui, vile société sans aristocratie et qui travaillez comme des fourmis, l'estimable symbole du travail ? Serait-ce qu'un épicier est censé ne pas penser le moins du monde, ignorer les arts, la littérature et la politique ? Et qui donc a engouffré les éditions de Voltaire et de Rousseau ? Qui donc achète *Souvenirs* et *Regrets* de Dubufe ? qui a usé la planche du *Soldat laboureur,* du *Convoi du pauvre,* celle de l'*Attaque de la barrière de Clichy ?* qui pleure aux mélodrames ? qui prend au sérieux la Légion d'Honneur ? qui devient actionnaire des entreprises impossibles ? qui voyez-vous aux premières galeries de l'Opéra-Comique, quand on joue *Adolphe et Clara* ou *les Rendez-vous bourgeois ?* qui hésite à se moucher au Théâtre-Français quand on chante *Chatterton ?* qui lit Paul de Kock ? qui court voir et admirer le Musée de Versailles ? qui a fait le succès du *Postillon de Longjumeau ?* qui achète les pendules à mameluks pleurant leur coursier ? qui nomme les plus dangereux députés de l'opposition, et qui appuie les mesures énergiques du pouvoir contre les perturbateurs ? L'épicier, l'épicier, toujours l'épicier ! Vous le trouvez, l'arme au bras, sur le seuil de toutes les nécessités, même les plus contraires, comme il est sur le pas de sa porte, ne comprenant pas toujours ce qui se passe, mais appuyant tout par son silence, par son travail, par son immobilité, par son argent ! Si nous ne sommes pas devenus sauvages, Espagnols ou saint-simoniens, rendez-en grâce à la grande armée des épiciers. Elle a tout maintenu. Peut-être maintiendra-t-elle l'un comme l'autre, la République comme l'Empire, la légitimité comme la nouvelle dynastie ; mais, certes, elle maintiendra. Maintenir est sa devise. Si elle ne maintenait pas un ordre social quelconque, à qui viendrait-elle ? L'épicier est la chose jugée qui s'avance ou se retire, parle ou se tait, aux jours de grandes crises. Ne l'admirez-vous pas dans sa foi pour les niaiseries consacrées ? Empêchez-le de se porter en foule au tableau de *Jane Grey,* de doter les enfants du général Foy, de souscrire pour le Champ-d'Asile, de se ruer sur l'asphalte, de demander la translation des cendres de Napoléon, d'habiller son enfant en lancier polonais ou en artilleur de la garde nationale, selon la circonstance. Tu l'essayerais en vain, fanfaron Journalisme, toi qui, le premier, inclines plume et presse à son aspect, lui souris, et lui tends incessamment la chatière de ton abonnement !

Mais a-t-on bien examiné l'importance de ce viscère indispensable à la vie sociale, et que les anciens eussent déifié peut-être ? Spéculateur, vous bâtissez un quartier, ou même un village ; vous avez construit plus ou moins de maisons, vous avez été assez osé pour élever une église ; vous trouvez des espèces d'habitants, vous ramassez un pédagogue, vous espérez des enfants ; vous avez fabriqué quelque chose qui a l'air d'une civilisation, comme on fait une tourte : il y a des champignons, des pattes de poulet, des écrevisses et des boulettes ; un presbytère, des adjoints, un garde-champêtre et des administrés. Rien ne tiendra, tout va se dissoudre, tant que vous n'aurez pas lié ce microcosme par le plus fort des liens sociaux, par un épicier. Si vous tardiez à planter au coin de la rue principale un épicier, comme vous avez planté une croix au-dessus du clocher, tout déserterait. Le pain, la viande, les tailleurs, les prêtres, les souliers, le gouvernement, la solive, tout vient par la poste, par le roulage ou par le coche ; mais l'épicier doit être là, rester là, se lever le premier, se coucher le dernier, ouvrir sa boutique à toute heure aux chalands, aux cancans, aux marchands. Sans lui, aucun de ces excès qui distinguent la société moderne des sociétés anciennes auxquelles l'eau-de-vie, le tabac, le thé, le sucre, étaient inconnus. De sa boutique procède une triple production pour chaque besoin : thé, café, chocolat, la conclusion de tous les dangers réels ; la chandelle, l'huile et la bougie, source de toute lumière ; le sel, le poivre et la muscade, qui composent la rhétorique de la cuisine ; le riz, le haricot et le macaroni, nécessaires à toute alimentation raisonnée ; le sucre, les sirops et la confiture, sans quoi la vie serait bien amère ; les fromages, les pruneaux et les mendiants, qui, selon Brillat-Savarin, donnent au dessert sa physionomie. Mais ne serait-ce pas dépeindre tous nos besoins que détailler les unités à trois angles qu'embrasse l'épicerie ? L'épicier lui-même embrasse une trilogie : il est électeur, garde national et juré. Je ne sais si les moqueurs ont une pierre sous la mamelle gauche, mais il m'est impossible de railler cet homme quand, à l'aspect des billes d'agate contenues dans ses jattes de bois, je me rappelle le rôle qu'il jouait dans mon enfance. Ah ! quelle place il occupe dans le cœur des marmots auxquels il vend le papier des cocottes, la corde des cerfs-volants, les soleils et les dragées ! Cet homme, qui tient dans sa montre des cierges pour notre enterrement et dans son œil une larme pour notre mémoire, côtoie incessamment notre existence : il vend la plume et l'encre au poëte, les couleurs au peintre, la colle à tous. Un joueur a tout perdu, veut se tuer : l'épicier lui vendra des balles, la poudre ou l'arsenic ; le vicieux personnage espère tout regagner : l'épicier lui vendra des cartes. Votre maîtresse vient : vous ne lui offrirez pas à déjeuner sans l'intervention de l'épicier ; elle ne fera pas une tache à sa robe qu'il ne reparaisse avec l'empois, le savon, la potasse. Si, dans une nuit douloureuse, vous appelez la lumière à grands cris, l'épicier vous tend le rouleau rouge du miraculeux, de l'illustre Fumade, que ne détrônent ni les briquets allemands, ni les luxueuses machines à soupape. Vous n'allez point au bal sans son vernis. Enfin, il vend l'hostie au prêtre, le *cent-sept-ans* au soldat, le masque au carnaval, l'eau de Cologne à la plus belle moitié du genre humain. Invalide, il te vendra le tabac éternel que tu fais passer de ta tabatière à ton nez, de ton nez à ton mouchoir, de ton mouchoir à ta tabatière : le nez, le tabac et le mouchoir d'un invalide ne sont-ils pas une image de l'infini aussi bien que le serpent qui se mord la queue ? Il vend des drogues qui donnent la mort, et des substances qui donnent la vie ; il s'est vendu lui-même au public comme une âme à Satan. Il est l'alpha et l'oméga de notre état social. Vous ne pouvez faire un pas ou une lieue, un crime ou une bonne action, une œuvre d'art ou de débauche, une maîtresse ou un ami, sans recourir à la toute-puissance de l'épicier. Cet homme est la civilisation en boutique, la société en cornet, la nécessité armée de pied en cap, l'encyclopédie en action, la vie distribuée en tiroirs, en bouteilles, en sachets. Nous avons entendu préférer la protection d'un épicier à celle d'un roi : celle du roi vous tue, celle de l'épicier fait vivre. Soyez abandonné de tout, même du diable ou de votre mère, s'il vous reste un épicier pour ami, vous vivrez chez lui comme le rat dans son fromage.

– Nous tenons tout, vous disent les épiciers avec un juste orgueil.

Ajoutez : « Nous tenons à tout. »

Par quelle fatalité ce pivot social, cette tranquille créature, ce philosophe pratique, cette industrie incessamment occupée, a-t-elle donc été prise pour type de la bêtise ? Quelles vertus lui manquent ? Aucune. La nature éminemment généreuse de l'épicier entre pour beaucoup dans la physionomie de Paris. D'un jour à l'autre, ému par quelque catastrophe ou par une fête, ne reparaît-il pas dans le luxe de son uniforme, après avoir fait de l'opposition en biset? Ses mouvantes lignes bleues à bonnets ondoyants accompagnent en pompe les illustres morts ou les vivants qui triomphent, et se mettent galamment en espaliers fleuris à l'entrée d'une royale mariée. Quant à sa constance, elle est fabuleuse. Lui seul a le courage de se guillotiner lui-même tous les jours avec un col de chemise empesé. Quelle intarissable fécondité dans le retour de ses plaisanteries avec ses pratiques! avec quelles paternelles consolations il ramasse les deux sous du pauvre, de la veuve et de l'orphelin! avec quel sentiment de modestie il pénètre chez ses clients d'un rang élevé! Direz-vous que l'épicier ne peut rien créer? QUINQUET était un épicier; après son invention, il est devenu un mot de la langue, il a engendré l'industrie du lampiste.

Ah! si l'épicerie ne voulait fournir ni pairs de France ni députés, si elle refusait des lampions à nos réjouissances, si elle cessait de piloter les piétons égarés, de donner de la monnaie aux passants, et un verre de vin à la femme qui se trouve mal au coin de la borne, sans vérifier son état; si le quinquet de l'épicier ne protestait plus contre le gaz son ennemi, qui s'éteint à onze heures; s'il se désabonnait au *Constitutionnel,* s'il devenait progressif, s'il déblatérait contre le prix Montyon, s'il refusait d'être capitaine de sa compagnie, s'il dédaignait la croix de la Légion d'Honneur, s'il s'avisait de lire les livres qu'il vend en feuilles dépareillées, s'il allait entendre les symphonies de Berlioz au Conservatoire, s'il admirait Géricault en temps utile, s'il feuilletait Cousin, s'il comprenait Ballanche, ce serait un dépravé qui mériterait d'être la poupée éternellement abattue, éternellement relevée, éternellement ajustée par la saillie de l'artiste affamé, de l'ingrat écrivain, du saint-simonien au désespoir. Mais examinez-le, ô mes concitoyens ! Que voyez-vous en lui ? Un homme généralement court, joufflu, à ventre bombé, bon père, bon époux, bon maître. A ce mot, arrêtons-nous.

Qui s'est figuré le Bonheur autrement que sous la forme d'un petit garçon épicier, rougeaud, à tablier bleu, le pied sur la marche d'un magasin, regardant les femmes d'un air égrillard, admirant sa bourgeoise, n'ayant rien, rieur avec les chalands, content d'un billet de spectacle, considérant le patron comme un homme fort, enviant le jour où il se fera, comme lui, la barbe dans un miroir rond, pendant que sa femme lui apprêtera sa chemise, sa cravate et son pantalon ? Voilà la véritable Arcadie ! Etre berger comme le veut Poussin n'est plus dans nos mœurs. Etre épicier, quand votre femme ne s'amourache pas d'un Grec, qui vous empoisonne avec votre propre arsenic, est une des plus heureuses conditions humaines.

Artistes et feuilletonistes, cruels moqueurs qui insultez au génie aussi bien qu'à l'épicier, admettons que ce petit ventre rondelet doive inspirer la malice de vos crayons ; oui, malheureusement, quelques épiciers, en présentant arme, présentent une panse rabelaisienne qui dérange l'alignement inespéré des rangs de la garde nationale à une revue, et nous avons entendu des colonels poussifs s'en plaindre amèrement. Mais qui peut concevoir un épicier maigre et pâle ? il serait déshonoré, il irait sur les brisées des gens passionnés. Voilà qui est dit, il a du ventre. Napoléon et Louis XVIII ont eu le leur, et la Chambre n'irait pas sans le sien. Deux illustres exemples ! Mais, si vous songez qu'il est plus confiant avec ses avances que nos amis avec leur bourse, vous admirerez cet homme, et lui pardonnerez bien des choses. S'il n'était pas sujet à faire faillite, il serait le prototype du bien, du beau, de l'utile. Il n'a d'autres vices, aux yeux des gens délicats, que d'avoir en amour, à quatre lieues de Paris, une campagne dont le jardin a trente perches ; de draper son lit et sa chambre en rideaux de calicot jaune imprimé de rosaces rouges ; de s'y asseoir sur le velours d'Utrecht à brosses fleuries ; il est l'éternel complice de ces infâmes étoffes. On se moque généralement du diamant qu'il porte à sa chemise et de l'anneau de mariage qui orne sa main ; mais l'un signifie l'homme établi, comme l'autre annonce le mariage, et personne n'imaginerait un épicier sans femme. La femme de l'épicier en a partagé le sort jusque dans l'enfer de la moquerie française. Et pourquoi l'a-t-on immolée en la rendant ainsi doublement victime ? Elle a voulu, dit-on, aller à la cour. Quelle femme assise dans un comptoir n'éprouve le besoin d'en sortir, et où la vertu ira-t-elle, si ce n'est aux environs du trône ? car elle est vertueuse : rarement l'infidélité plane sur la tête de l'épicier; non que sa femme manque aux grâces de son sexe, mais elle manque d'occasions. La femme d'un épicier, l'exemple l'a prouvé, ne peut dénouer sa passion que par le crime, tant elle est bien gardée. L'exiguïté du local, l'envahissement de la marchandise, qui monte de marche en marche, et pose ses chandelles, ses pains de sucre, jusque sur le seuil de la chambre conjugale, sont les gardiens de sa vertu, toujours exposée aux regards publics. Aussi, forcée d'être vertueuse, s'attache-t-elle tant à son mari, que la plupart des femmes d'épicier en maigrissent. Prenez un cabriolet à l'heure, parcourez Paris, regardez les femmes d'épicier: toutes sont maigres, pâles, jaunes, étirées. L'hygiène, interrogée, a parlé de miasmes exhalés par les denrées coloniales; la pathologie, consultée, a dit quelque chose sur l'assiduité sédentaire au comptoir, sur le mouvement continuel des bras, de la voix, sur l'attention sans cesse éveillée, sur le froid qui entrait par une porte toujours ouverte et rougissait le nez. Peut-être, en jetant ces raisons au nez des curieux, la science n'a-t-elle pas osé dire que la fidélité avait quelque chose de fatal pour les épicières; peut-être a-t-elle craint d'affliger les épiciers en leur démontrant les inconvénients de la vertu? Quoi qu'il en soit, dans ces ménages que vous voyez mangeant et buvant enfermés sous la verrière de ce grand bocal, autrement nommé par eux *arrière-boutique,* revivent et fleurissent les coutumes sacramentelles qui mettent l'hymen en honneur. Jamais un épicier, en quelque quartier que vous en fassiez l'épreuve, ne dira ce mot leste : *ma femme;* il dira : *mon épouse.* « Ma femme » emporte des idées saugrenues, étranges, subalternes, et change une divine créature en une chose. Les Sauvages ont des femmes ; les êtres civilisés ont des épouses : jeunes filles venues entre onze heures et midi à la mairie, accompagnées d'une infinité de parents et de connaissances, parées d'une couronne de fleur d'oranger toujours déposée sous la pendule, en sorte que le mameluk ne pleure pas exclusivement sur le cheval.

Aussi, toujours fier de sa victoire, l'épicier conduisant sa femme par la ville a-t-il je ne sais quoi de fastueux qui le signale au caricaturiste. Il sent si bien le bonheur de quitter sa boutique, son épouse fait si rarement des toilettes, ses robes sont si bouffantes, qu'un épicier orné de son épouse tient plus de place sur la voie publique que tout autre couple. Débarrassé de sa casquette de loutre et de son gilet rond, il ressemblerait assez à tout autre citoyen, n'étaient ces mots : *ma bonne amie,* qu'il emploie fréquemment en expliquant les changements de Paris à son épouse, qui, confinée dans son comptoir, ignore les nouveautés. Si parfois, le dimanche, il se hasarde à faire une promenade champêtre, il s'assied à l'endroit le plus poudreux des bois de Romainville, de Vincennes ou d'Auteuil, et s'extasie sur la pureté de l'air. Là, comme partout, vous le reconnaîtrez, sous tous ses déguisements, à sa phraséologie, à ses opinions.

Vous allez par une voiture publique à Meaux,

Melun, Orléans ; vous trouvez en face de vous un homme bien couvert qui jette sur vous un regard défiant : vous vous épuisez en conjectures sur ce particulier d'abord taciturne. Est-ce un avoué ? est-ce un nouveau pair de France ? est-ce un bureaucrate ? Une femme souffrante dit qu'elle n'est pas encore remise du choléra. La conversation s'engage. L'inconnu prend la parole.

– *Môsieu...*

Tout est dit, l'épicier se déclare. Un épicier ne prononce ni *monsieur,* ce qui est affecté, ni *m'sieu,* ce qui semble infiniment méprisant ; il a trouvé son triomphant *môsieu,* qui est entre le respect et la protection, exprime sa considération et donne à sa personne une saveur merveilleuse.

– *Môsieu,* vous dira-t-il, pendant le choléra, les trois plus grands médecins, Dupuytren, Broussais et *môsieu* Magendie, ont traité leurs malades par des remèdes différents ; tous sont morts ou à peu près. Ils n'ont pas su ce qu'est le choléra ; mais le choléra, c'est une maladie dont on meurt. *Ceux* que j'ai vus se portaient déjà mal. Ce moment-là, *môsieu,* a fait bien du mal au commerce !

Vous le sondez alors sur la politique. Sa politique se réduit à ceci :

– *Môsieu,* il paraît que les ministres ne savent ce qu'ils font ! On a beau les changer, c'est toujours la même chose. Il n'y avait que sous l'empereur où ils allaient bien. Mais aussi, quel homme ! En le perdant, la France a bien perdu. Et dire qu'on ne l'a pas soutenu !

Vous découvrez alors chez l'épicier des opinions religieuses extrêmement répréhensibles. Les chansons de Béranger sont son Evangile. Oui, ces détestables refrains frelatés de politique ont fait un mal dont l'épicerie se ressentira longtemps. Il se passera peut-être une centaine d'années avant qu'un épicier de Paris — ceux de la province sont un peu moins atteints de la chanson — entre dans le Paradis. Peut-être son envie d'être Français l'entraîne-t-elle trop loin. Dieu le jugera.

Si le voyage était court, si l'épicier ne parlait pas, cas rare, vous le reconnaîtriez à sa manière de se moucher. Il met un coin de son mouchoir entre ses lèvres, le relève au centre par un mouvement de balançoire, s'empoigne magistralement le nez, et sonne une fanfare à rendre jaloux un cornet à piston.

Quelques-uns de ces gens qui ont la manie de tout creuser signalent un grand inconvénient à l'épicier : « Il se retire, disent-ils. Une fois retiré, personne ne lui voit aucune utilité. Que fait-il ? que devient-il ? Il est sans intérêt, sans physionomie. » Les défenseurs de cette classe de citoyens estimables ont répondu que, généralement, le fils de l'épicier devient notaire ou avoué, jamais ni peintre ni journaliste, ce qui l'autorise à dire avec orgueil :

— J'ai payé ma dette au pays.

Quand un épicier n'a pas de fils, il a un successeur auquel il s'intéresse ; il l'encourage, il vient voir le montant des ventes journalières, et les compare avec celles de son temps ; il lui prête de l'argent : il tient encore à l'épicerie par le fil de l'escompte. Qui ne connaît la touchante anecdote sur la nostalgie du comptoir à laquelle il est sujet ?

Un épicier de la vieille roche, lequel, trente ans durant, avait respiré les mille odeurs de son plancher, descendu le fleuve de la vie en compagnie de myriades de harengs, voyagé côte à côte avec une infinité de morues, balayé la boue périodique de cent pratiques matinales, et manié de bons gros sous bien gras, il vend son fonds cet homme, riche au delà de ses désirs, ayant enterré son épouse dans un bon petit terrain à perpétuité, tout bien en règle, quittance de la Ville au carton des papiers de famille ; il se promène les premiers jours dans Paris en bourgeois ; il regarde jouer aux dominos, il va même au spectacle. Mais il avait, dit-il, des inquiétudes. Il s'arrêtait devant les boutiques d'épicerie, il les flairait, il écoutait le bruit du pilon dans le mortier. Malgré lui cette pensée : « Tu as été pourtant tout cela ! » lui résonnait dans l'oreille, à l'aspect d'un épicier amené sur le pas de sa porte par l'état du ciel. Soumis au magnétisme des épices, il venait visiter son successeur. L'épicerie allait. Notre homme revenait le cœur gros. Il était *tout chose,* dit-il à Broussais en le consultant sur sa maladie. Broussais ordonna les voyages, sans indiquer positivement la Suisse ou l'Italie. Après quelques excursions lointaines tentées sans succès à Saint-Germain, Montmorency, Vincennes, le pauvre épicier, dépérissant toujours, n'y tint plus ; il rentra dans sa boutique comme le pigeon de La Fontaine à son nid, en disant son grand proverbe : *Je suis comme le lièvre, je meurs où je m'attache!* Il obtint de son successeur la grâce de faire des cornets dans un coin, la faveur de le remplacer au comptoir. Son œil, déjà devenu semblable à celui d'un poisson cuit, s'alluma des lueurs du plaisir. Le soir, au café du coin, il blâme la tendance de l'épicerie au charlatanisme de l'Annonce, et demande à quoi sert d'exposer les brillantes machines qui broient le cacao.

Plusieurs épiciers, des têtes fortes, deviennent maires de quelque commune, et jettent sur les campagnes un reflet de la civilisation parisienne. Ceux-là commencent alors à ouvrir le Voltaire ou le Rousseau qu'ils ont acheté ; mais ils meurent à la page 17 de la notice. Toujours utiles à leurs pays, ils ont fait réparer un abreuvoir, ils ont, en réduisant les appointements du curé, contenu les envahissements du clergé. Quelques-uns s'élèvent jusqu'à écrire leurs vues au *Constitutionnel,* dont ils attendent vainement la réponse ; d'autres provoquent des pétitions contre l'esclavage des nègres et contre la peine de mort.

Je ne fais qu'un reproche à l'épicier : il se trouve en trop grande quantité. Certes, il en conviendra lui-même, il est commun. Quelques moralistes, qui l'ont observé sous la latitude de Paris, prétendent que les qualités qui le distinguent se tournent en vices dès qu'il devient propriétaire. Il contracte alors, dit-on, une légère teinte de férocité, cultive le commandement, l'assignation, la mise en demeure, et perd de son agrément. Je ne contredirai pas ces accusations fondées peut-être sur le temps critique de l'épicier. Mais consultez les diverses espèces d'hommes, étudiez leurs bizarreries, et demandez-vous ce qu'il y a de complet dans cette vallée de misères. Soyons indulgents envers les épiciers ! D'ailleurs, où en serions-nous s'ils étaient parfaits ? il faudrait les adorer, leur confier les rênes de l'Etat, au char duquel ils se sont courageusement attelés. De grâce, ricaneurs auxquels ce mémoire est adressé, laissez-les-y, ne tourmentez pas trop ces intéressants bipèdes : n'avez-vous pas assez du gouvernement, des livres nouveaux et des vaudevilles ?

Extrait de
Les Français peints par eux-mêmes,
1839.

Ce texte est un développement de l'article *L'Epicier,* publié sans signature dans *La Silhouette* du 22 avril 1830. *Les Français peints par eux-mêmes* est un recueil écrit par divers auteurs, paru chez Curmer en huit volumes, 1840-1842, après avoir été édité en livraison.

Le provincial

Le voyez-vous descendre de diligence, avec cet air assuré que donne la connaissance de son propre mérite ?

Eh ! bien, c'est un provincial.

Il est le plus bel esprit de son *endroit,* il est abonné au *Constitutionnel,* il *travaille* au journal du département ; il est la pluie et le beau temps, il fait la charade à ravir, l'amour de manière à faire tourner la tête à toutes les femmes de *chez lui* et à être forcé de faire souvent le cruel.

Notez que sa ville natale est la patrie d'un académicien, d'un maréchal de camp, d'un peintre qui a été envoyé à Rome aux frais du gouvernement, et d'un sous-chef de bureau au ministère des cultes ; qu'ensuite elle est célèbre par la hauteur des tours gothiques de sa cathédrale, par l'accident arrivé en 1371 à un fils du roi qui s'y cassa la jambe, et par la mort d'un archevêque qui vint y finir ses vieux jours.

Vous sentez qu'avec de pareils antécédents le débarqué n'est pas un homme de peu d'importance, et que c'est la tête haute qu'il peut se présenter partout. Aussi le voilà qui fait le dégourdi dès l'arrivée.

— Capédédious ! s'écrie-t-il en quittant le marchepied, qué les diligencés sont mauvaisés à Paris !

Il appelle un commissionnaire, et il est tout étonné qu'un air moqueur accueille ses questions et qu'un sourire malin de la part des passants termine l'analyse de son individu. Dans les promenades, il s'aperçoit qu'il est en arrière des modes, lui « qui les fésait vénir dans son endroit ». De par le monde, il trouve « plusieurs étrangers ridiculés à causé dé leur *assent* ». Il se moque de l'Alsacien et du Breton, et « trouvé mêmé qué lé Parisiens ont généralément uné mauvaisé prrrononciation ».

— Pouré moi, jé né rien à craindré, dit-il, et sérait bien malin, célui-là qui m'attrapéré ! j'ai tant lu, jé mé suis tant instruit avant mon départ, jé pris tant de conseils, et enfin jé suis si fin moi-mêmé !...

Et il veut se moucher, que déjà on lui a emprunté son mouchoir ; il achète une chaîne de sûreté, et on lui a volé sa montre ; il paye dix francs une paire de lunettes en or, et, quand il veut les changer, on lui en demande quatre-vingts de retour.

Il n'est encore là que dupe de la petite industrie ; arrivent ensuite les amis impromptus, qui lui donnent la plus grande preuve d'estime qu'un galant homme puisse donner à un autre galant homme : lui emprunter de l'argent ; — les marchands de confiance, qui éprouvent la sienne ; — les femmes à l'air sensible, qui font les cruelles en diable ; – les maisons de jeu et leurs habitués, lesquels commencent par perdre quelquefois et finissent par gagner toujours ; – enfin, ces *Ciceroni* obligeants qui le conduisent aux spectacles, aux cafés et à toute espèce de curiosités, sans jamais se permettre de payer leur place.

Sous le rapport zoologique, le provincial appartient à la classe des bimanes de la seconde espèce. Il a le verbe haut, le teint carminé, la peau rude, la taille matérielle, le dos légèrement voûté, les épaules saillantes, les bras en dehors, les jambes en dedans, les mains et les pieds généralement hors de proportion avec le reste de son corps, sans doute à cause de l'exercice perpétuel dans lequel il les entretient. Pour lui, marcher est la condition première de l'existence. Lorsqu'il se trouve à Paris, il a déjà fait, avant que personne soit levé à son hôtel, le tour des quais et des boulevards ; sur chacun il achète un chausson ou un morceau de flan ; mais cela ne nuit en rien à son estomac, chez lequel tous les poteaux qu'il heurte accélèrent prodigieusement la digestion.

Ses habitudes, ses manières ne sont pas moins drôles que sa personne : il se croit, à tout propos, obligé de faire du patriotisme de terroir ; chaque fois qu'il tousse, il se lève pour aller cracher dans un coin, ce qui devient extrêmement fatigant quand il est enrhumé ; il salue les convives avant de boire ; il rit tout seul avant de faire un calembour ; approche la table de sa chaise ; demande chez Véry de la soupe et du bœuf aux choux; appelle le garçon *monsieur,* la carte à payer son *mémoire;* relève ses cheveux trois fois par minute, ses manches jusqu'aux coudes et son pantalon jusqu'aux genoux. Il aime de prédilection les couleurs tranchantes; aussi le voyez-vous, la plupart du temps, sous poil carotte ou jonquille, avec des souliers cirés au jaune d'œuf, des boucles d'oreilles et des gants verts!

En un mot, le provincial est un être inconcevable, qui va au Français en 1831, se croit à l'Opéra chez Franconi, achète du sucre d'orge dans l'entracte, marchande un billet de spectacle au bureau, prend la statue de Henri IV pour celle de Napoléon, Taglioni pour madame Saqui, et prétend l'avoir vue danser sur la corde dans son endroit; qui s'extasie devant les figures de cire ornant la boutique du coiffeur, bâille en écoutant Paganini, ôte son chapeau aux ouvreuses, cause avec les claqueurs et applaudit au théâtre des Nouveautés!

La Caricature,
12 mai 1831
(signé Eugène Morisseau)

DES SALONS LITTÉRAIRES ET DES MOTS ÉLOGIEUX

Ce n'est pas une mince épreuve pour une grisette que de mettre son premier cachemire ; un solliciteur, admis pour la première fois à la table d'un ministre, est le plus embarrassé des hommes, s'il n'est gascon ou gros mangeur ; et l'une des plus cruelles angoisses que puisse endurer l'homme social, c'est d'être présenté à la famille de sa future. Le nombre des maladresses qu'on peut commettre dans ces trois accidents de la vie fatiguerait les calculs de l'ingénieux Charles Dupin ; toutefois, on peut espérer de s'en garantir, d'abord parce que toutes les grandes dames n'ont pas été grisettes, et qu'on n'est pas tenu, malgré l'exemple, d'être solliciteur ni de se marier. Mais un malheur auquel un homme de bonne compagnie ou une femme à la mode ne peuvent échapper, c'est d'assister à une lecture de salon. Prenez garde, vous marchez ici sur un terrain où les plus habiles trébuchent. Vous êtes le danseur le plus élégant de Paris, le cavalier le plus habile du Bois, le convive le plus discret, et le causeur qu'on préfère, prenez garde ! Et vous dont la grâce nonchalante occupe si bien le fond de votre calèche, vous dont le salon est un modèle de bon accueil, vous qui avez la patience pour écouter un sot, de l'attention pour le talent, de la moquerie pour les discours d'amour, de la froideur pour l'homme qui vous trouble, et de l'esprit pour tout vivre, prenez garde, si l'on vous invite à quelque soirée littéraire ! craignez, s'il s'agit de prose ; si ce sont des vers, frémissez !

En principe, tout homme qui sait qu'il ne faut pas demander à telle femme des nouvelles de son mari, qu'il y a des banquiers devant qui l'on ne parle pas faillite, l'homme qui a le soin, en racontant une anecdote qui regarde une belle présente, de ne pas dire : « Il y a vingt ans » ; celui qui a le bon esprit de parler à une femme laide du charme inexplicable de sa personne, le joueur qui sait prêter son argent et l'oublier dans la poche de l'emprunteur, le fat qui jure qu'il est incapable d'avouer qu'il est l'amant de qui que ce soit, le provincial timide qui se tait, et le médisant qui ne raconte des horreurs de ses amis qu'à cinq personnes à la fois, tous ces gens peuvent très-bien vivre dans le cours vulgaire du monde, et même s'y faire une réputation de convenance et de tenue assez méritée.

Mais combien toute cette petite science est mesquine et insuffisante si vous approchez le salon littéraire, le monde poëtique, le cycle d'or où les Muses font voler les Heures. Dieu me pardonne, je crois qu'un courtisan du Grand Seigneur n'y serait qu'un rustaud. C'est un art inconnu, c'est un travail de galérien accompli le sourire sur les lèvres, c'est le martyre et la torture en chantant les louanges de Dieu que vivre de la vie des littérateurs de nos cotteries.

Que de choses à observer, de nuances à saisir, d'écueils à éviter, non pas pour échapper au ridicule, mais pour s'épargner la malédiction d'un génie ! Car il faut bien se pénétrer de cette vérité, qu'il ne s'agit plus ici d'une moquerie qui punit une maladresse, ou d'un silence absolu qui met au jour une inconvenance, c'est toute sa vie qu'on joue sur un geste ou sur une parole, c'est une haine à mort qui sera le châtiment d'un oubli ou d'une froideur.

Et d'abord, vous entrez dans un salon où causent à grand bruit les hommes à front large et les femmes qui sont des anges oubliés sur la terre. Ne vous choquez pas de ce que votre salut est inaperçu. Estimez-vous heureux si vous n'avez déjà fait trois balourdises, la première d'avoir été vous présenter à la maîtresse de maison, qui règle l'ordre des lectures, la seconde d'avoir salué une femme de votre connaissance dont les yeux immobiles étaient fixés sur vous, sans comprendre qu'elle pense, rêve ou médite ; et la troisième d'avoir dit : « Hein ?... plaît-il ? » à un poëte distrait qui se remet des vers en mémoire et vous les souffle dans l'oreille.

Asseyez-vous, le cercle est formé. Maintenant, dans toutes ces postures, choisissez vite celle qui vous va le mieux ; car de vous asseoir naïvement et simplement, il n'y faut pas penser. Ce monsieur qui met ses coudes sur ses genoux et qui cache sa tête dans ses mains, de peur qu'un regard, un objet visible n'altère la profonde attention qu'il va prêter à l'œuvre promise ; celui-ci qui s'enfonce dans une bergère les yeux demi-clos pour se laisser bercer dans la douce harmonie d'un vers enchanté ; cette belle personne qui, le front haut et l'œil impatient, appuie des regards d'aigle sur cette bouche poëtique qui parle si bien d'amour ; ce jeune adepte qui, la tête basse, les yeux fixés par terre et le corps légèrement courbé, suit, par un balancement élégamment modulé, le rythme et l'action du poëme ; ce tout petit admirateur qui se cache derrière tout le monde pour avoir le droit de se hisser sur ses orteils, de s'accrocher à l'épaule de son voisin, et de ne montrer que le bout de son nez, où toute l'ardeur de son attention se manifeste ; et l'ami qui se place à côté du lecteur et dont le geste impose silence ; et le rival qui s'appuie le dos à la cheminée et qui fait parade de sa défaite ; et celui qui se retire dans un coin pour s'imiter les chants d'une voix lointaine ; et ce dernier qui, plus hardi et quelquefois sublime, laisse prendre tous les sièges, et, s'oubliant au milieu du cercle, finit par s'asseoir par terre comme un Lacédémonien ; tous ces gens connaissent leur monde. Mais, vous qui n'êtes pas encore nubile à la poësie, si vous en croyez un homme d'expérience, vous ne tenterez pas cette supériorité d'attitude, et, si vous trouvez un groupe d'hommes dense et obscur, ou un siège vide, voilé par un vaste chapeau de bas-bleu, vous y cacherez votre inexpérience.

Ecoutez, écoutez, la lecture commence. C'est le silence du désert, l'immobilité de ses pyramides qui accueillent le premier vers de l'élégie, ou de l'ode, ou de la méditation, ou du dithyrambe.

Je voudrais bien savoir ce que c'est qu'une femme...

– Pardon, pardon, dit une jeune grosse personne qui dérobe sous un mouchoir parfumé la toux cruelle qui doit éteindre son existence, le titre, monsieur, le titre ?

– Oui, oui, le titre ? répète l'assemblée.

Et le silence revient après un léger murmure, comme la nuit après le crépuscule.

En m'en revenant un soir d'été... sur les
Neuf heures... neuf heures et demie... un jour
De dimanche.

– Manière heureuse de poser la scène ! – Il y a de la grâce. – De la nouveauté. – J'y suis déjà. – J'écoute. – Oui, oui.

L'élégie commence et la bataille en même temps, car c'est un combat entre le poëte qui débite et l'auditeur qui loue. L'un ne dit pas un hémistiche que l'autre ne lance un *Bien ! Oh ! Oh !...* Et puis ce sourire admiratif de l'ami intime qui sait par cœur le poëme récité, et qui voit venir un vers à émotion ; cinq minutes à l'avance une douce joie commence à éclore sur son visage, elle s'épanouit davantage à chaque hémistiche, croît, rayonne et éclate au vers attendu en un « Ah ! bravo ! ravissant ! – Plein de charme ! – C'est un bonheur dans la poësie ! – C'est un pas en avant ! – C'est une révélation ! – Chut ! laissons continuer. – C'est lui qui est coupable de nos interruptions avec ses vers qui troublent ! – Mais silence donc !... »

Ces premières interruptions appartiennent, en général, à la classe peu habile des louangeurs. Laissez continuer la lecture, laissez se rétablir ce profond silence où se traîne la voix frêle et douce du poëte récitant. Voici un auditeur dont les lèvres entrouvertes et le cou tendu attestent la vigoureuse admiration ; cet autre laisse échapper à voix basse des mots confus de joie et de contentement ; cette femme égare ses regards jusqu'à faire douter de sa raison ; cet ami fait crier le dos de sa chaise sous la crispation de ravissement qui le saisit ; le plus intrépide laisse échapper par-ci par-là un rire d'idiot, d'homme surpris et épouvanté des mystères sublimes où il est admis ; celui-là tire un mouchoir et a l'air de rougir d'être forcé à pleurer ; un plus stoïque lutte contre l'émotion et raidit son âme contre l'empire du poëte ; tel autre n'appartient plus à la terre ; et quelques-uns suffoquent, lorsqu'enfin un vers détermine l'éruption du volcan admiratif. Soudain la lave brûlante déborde, et l'âme de l'auditeur, longtemps comprimée, se répand en cris, en toussements, en battements de mains, en trépignements, en extases modulées sur des *ah !* sur des *oh !* de tous les tons ; jusqu'au moment où l'ami intime rassure l'assemblée d'un geste qui promet mieux encore ; et où le poëte, quittant la confusion où le met son triomphe, reprenne hardiment le cours de ses strophes commencées.

Misérable auditeur qui êtes admis pour la première fois à ce mystère social, quelle sera votre tenue, l'applaudissement ? le bravo ? Insolent critique ! vous êtes un homme perdu si vous dites de telles injures. Vous n'avez qu'un moyen de salut : c'est d'affecter ce silence de suffocation qui arrête la louange à la gorge, tant il y a à dire ; ou, si vous êtes présenté par un intime, vous avez encore la ressource de vous approcher de lui, des larmes de reconnaissance dans les yeux, et de lui presser vivement la main en lui disant :

– Merci, mon ami, merci !...

Ceci est adroit, c'est remarqué et ce n'est pas sans élégance.

Faisons observer cependant que nous n'en sommes encore qu'à la mimique de l'admiration, et que les formules parlées sont ménagées par les habiles, comme le bouquet d'un feu d'artifice. Aussi, avant d'arriver à cette terrible explosion de sentiments passionnés, il faut que je vous parle quelque peu des interruptions dramatiques.

Je sais de par le monde un jeune prédestiné qui, dominé par le génie de famille qui le tient, s'accorche à la manche de quelque belle voisine et qui, dans une convulsion d'enthousiaste, en arrache un lambeau ; d'autrefois, pendu à un rideau, il trépigne d'un ravissement sans fin, jusqu'à ce que, fléchissant sous l'émotion, il entraîne dans sa chute et la tringle de fer, et le bâton doré, et le calicot rouge, et la mousseline blanche, engloutissant avec lui quelque belle attentive, quelque adorateur du grotesque ; leur bosselant le front, leur crevant les yeux, ou bien encore leur cassant trois dents, ce qui s'est vu.

Arrive-t-il, dans un de ces moments néfastes où les meilleurs esprits restent au-dessous de leur mission, que l'attention trop silencieuse du cercle ressemble à de l'ennui, il n'est pas un poëte à la poitrine forte et au cœur rempli de miel ou de fiel qui n'ait un servant tout prêt à réchauffer l'assemblée. S'il le faut, il s'élance d'une embrasure de croisée à travers les chaises et les fauteuils, et, s'arrêtant au milieu du cercle, il s'écrie, il frappe du pied, il se démène, il prononce des mots sans suite, jusqu'à ce que, plus maître de son émotion, il coure se renfermer dans sa croisée, où son enthousiasme murmure encore quelque temps comme un incendie qui s'éteint.

Toutefois, pendant ce temps, la lecture continue et les mots interrupteurs commencent à se faire jour. A quel genre, à quelle époque appartient la poësie dont on vous enivre ? Les filles de Grenade avec la sérénade et la promenade vous apprennent-elles les détours de l'Alhambra et les délices des bois d'orangers :

— Oh ! que c'est mauresque ! dit celui-ci.

— Oh ! que c'est Afrique ! s'écrie celui-là.

— Et Espagne en même temps ! ajoute un autre.

— Il y a des minarets dans ce vers !

— C'est tout Grenade !

– C'est tout l'Orient !

Ma parole d'honneur la plus sacrée, on a dit devant moi, à propos d'Afrique et d'Espagne : – « C'est tout l'Orient ! »

Que si par hasard le rude moyen-âge, ses tours et ses vautours, et ses manoirs noirs, et ses tourelles grêles, et ses porches qu'éclairent des torches, emplit votre oreille de ses récits chevaleresques, c'est l'ogive, – c'est la rosace, – c'est le pilier, – c'est la pierre dentelée, qui deviennent les adjectifs admiratifs des coloristes de la poësie.

– Ces vers sont élégants comme une colonne du Parthénon.

– Cette élégie est comme une statue de marbre de Paros trouvée au bord d'une fontaine.

– C'est une théorie qui marche au sacrifice.

– C'est une amphore où se recueille le miel du mont Hymète.

Ceci est pour la poësie grecque, qui est peu en vogue, mais dont le vocabulaire laudatif a cependant quelque étendue.

Mais, tandis que nous écoutons avec rage, l'heure fuit et les dernières strophes vont se faire entendre ; ici, la couleur locale disparaît et l'émotion arrive à ce degré d'égarement, que les mots ingénieux et partiels ne suffisent plus ; il s'agit d'en trouver qui renferment l'éloge complet dans un cri, ou dans une image.

Le poëte cesse de parler… L'assemblée se lève… Qu'est-ce ? Où sont les mœurs élégantes et réservées des salons de Paris ? Qu'est devenue la politesse des hommes, la retenue des femmes ? Tout se mêle soudainement ; on se précipite vers le lecteur, un long cri d'admiration, mêlé de battements de mains et de trépignements frénétiques, occupe d'abord l'oreille étonnée ; et puis, dans un murmure universel et violent, passent et brillent comme des éclairs à travers la tempête : « Ravissant ! – Miraculeux ! – Immense ! Prodigieux ! » Un certain soir, j'avais préparé avec adresse : *Renversant !* Le mot fut accueilli, mais je fus détrôné par *Etourdissant !* qui fut mieux lancé et plus goûté.

Quant à vous, infortunés, à qui je m'adresse, tenez compte de ceci, que *miraculeux* et *immense* est le moins que vous deviez à une élégie de quinze vers ou à une ode de trois strophes ; que, s'il s'agit d'un drame : « C'est un siècle qui revit ! – C'est toute l'histoire mise en action ! – C'est le colosse mesuré à sa hauteur ! – C'est le passé qui se lève ! – C'est l'avenir qui se dévoile ! – C'est le monde ! – C'est l'univers ! – C'est Dieu ! ».

Et maintenant, vous à qui nous enseignons comment s'habille l'homme de bonne compagnie, tenez-vous pour légèrement décrassé en fait de science poëtique. Nous vous avons appris comment on se présente et l'on se tient dans un salon littéraire ; mais n'allez pas croire que vous y serez autre chose qu'un très-vulgaire auditeur, dont on n'aura pas à se plaindre tout au plus. Soyez circonspect, c'est-à-dire, si vous n'avez ce génie qui voit, apprend, juge et fait en cinq minutes, tenez-vous-en aux mots que nous vous avons indiqués.

Il y a une chose qui n'appartient qu'aux transcendants, c'est l'éloge furieux sous la forme de la critique ; il y faut un tact, une délicatesse que l'expérience seule peut donner ; en même temps, une audace et une vigueur d'exécution, que la nature ne prodigue qu'à ses favoris.

Surtout, et comme dernier avertissement, sans lequel tous les autres seraient inutiles, par grâce pour vous, pour votre famille, pour votre avenir et le sien, n'entrez jamais au milieu d'une lecture. C'est à genoux que nous vous donnons ce conseil. Pauvre jeune homme, pauvre femme, vous avez interrompu une lecture ! Jeune homme, ne demandez jamais une belle fille en mariage : trente-huit lettres anonymes dénonceront vos folies de jeunesse, vos dettes et les maîtresses de vos premières amours. Faites votre testament politique si vous voulez être chef de bureau, ou député, ou préfet. Et vous, femme infortunée, ne regardez ni ce beau militaire, ni cet élégant maître des requêtes, ni ce galant juge auditeur : ils sont déjà vos amants, au dire de mille bouches poëtiques.

Enfin, nous n'avons que trois choses à donner au misérable qui interrompt une lecture :

Une prière. – Une tombe. – Et ces mots : REQUIESCAT IN PACE !

La Mode,
20 novembre 1830
(non signé).

De la mode en littérature

A Madame la Comtesse d'O…t

J'ose à peine vous avouer, madame, que je suis épouvanté de la confiance dont vous avez la bonté de m'honorer. Vous voulez faire un ouvrage, le faire à Tours et jouir d'un succès à Paris. Vous croyez qu'il est aussi facile de vous envoyer, par la poste, les patrons sur lesquels nous taillons un livre, que de vous transmettre ceux d'une robe ou d'un fichu, grâce aux élégants dessins de Gavarni.

Erreur, madame !… Et cette idée accuse déjà l'innocence du ravissant pays que vous habitez. Hélas ! la MODE est la *fixité* même en comparaison des vertiges dont notre littérature est saisie. Le vieux Parnasse s'est changé en vallée ; que dis-je ! en un désert sablonneux dont les monticules sont aussi mouvants que ces îles dorées qui flottent sur les eaux de votre belle Loire et dont les dunes fantasques se brisent, s'élèvent, s'arrondissent, s'abîment, reparaissent ;

inconcevables gouffres qui, souvent, emportent un imprudent nageur, comme ici quelque faux système, quelque coterie, quelque amour insensé de soi-même, engloutissent un homme de talent. Aussi, j'aurais mille fois mieux aimé avoir été chargé, moi ignorant, de vous choisir un bonnet chez Herbault, une étoffe chez Delisle, plutôt que d'avoir, tout critique que je puis être, à vous dicter les oracles du goût présent, à vous initier aux mystères de nos succès. D'abord, y a-t-il un goût ? avons-nous des succès ? Vous ne savez donc pas, madame, qu'aujourd'hui, un homme n'a qu'un jour et que tous les jours n'ont pas un homme ? Et qu'est-ce qu'un homme ?... Nous dévorons des pays entiers. Hier, c'était l'Orient ; le mois passé, ce fut l'Espagne ; demain, ce sera l'Italie.

Je pourrais vous dire d'étudier la couleur locale de la Laponie, et vous nous construiriez un admirable Spitzberg avec des glaces bien naturelles, une aurore boréale que vous n'auriez pas vue, et les rennes, les arêtes de poisson, l'huile de baleine, l'horizon de neige, les ours blancs et les lichens... Bah ! ce ne serait plus cela !... Quand vous nous apporteriez votre microcosme tout imprimé, la girouette littéraire aurait tourné vers les forêts vierges du Brésil. Le public raffolerait de caïmans couchés au fond d'un puits, de jaguars dorés et tachetés, des caramurus, des jakaréouassous, etc. Vous parleriez français-lapon à des gens qui n'entendraient plus que le jargon des sauvages.

Enfin, madame, pendant que vous chercheriez

des idées, le public voudrait *de la couleur;* vous feriez de la couleur, il vous demanderait du trait; courez après le trait, ce Shahabaham désirera des tableaux de mœurs; forgez-lui des mœurs exactes, il sera fou d'histoire; brodez-lui une époque, en manière de tapisserie, plaquez un livre de pièces de rapport, il vous tournera le dos pour admirer un homme qui s'est amusé à publier une variation littéraire dont le thème est un mot. Tantôt c'est un enfant qui ramasse tous ses jouets et les brise, les laissant pour aller voir la lune dans un seau; tantôt c'est un homme grave qui écoute M. Cousin et se fait un casse-tête chinois de ses leçons. Il dédaigne un homme de talent et s'amourache d'un sot.

Et vous voudriez plaire à ce Paris, tour à tour sublime et ridicule, souverainement intelligent et souverainement bête, qui ne semble vivre que par les yeux?... Ah! vous ne savez pas ce que vous entreprenez. Un forçat connaît son travail, un auteur n'est jamais au fait de ce que le caprice de Paris va lui demander. Il faut aujourd'hui à ce public fantasque des feux d'artifice en littérature, comme un monde élégant et toujours paré, comme des boutiques brillantes et des bazars magiques; il veut *les Mille et une Nuits* partout. Aussi, chaque semaine, la presse lui fournit cinquante volumes prétendus nouveaux; le théâtre lui donne trois pièces nouvelles. Chaque matin, les journaux lui servent un homme bardé de ridicule, embroché par un bon mot; princes ou savants, rois ou professeurs, qu'importe! l'essentiel est qu'il y ait un plat quotidien.

Aujourd'hui le financier aurait raison de se plaindre que son dessert n'a pas d'épigrammes. Enfin, Paris a son Colysée comme l'ancienne Rome ; mais ses gladiateurs sont des écrivains ; ses hyènes, ses tigres, sont des journalistes. Les Césars versaient le sang, offraient des hommes ; nous, nous consommons des intelligences. La jeune fille lit dans un livre ce que la vestale voyait. La police et ses égouts, Vidocq et ses limiers, Sanson et sa terrible machine, et tous les crimes possibles, les goules, les vampires, les apparitions, tout a été dévoré. Nous avons pris de la manière la plus élégante les choses les plus sales. On a paré la grève comme Crébillon fils parait le vice. La guillotine a été notre *sopha.*

Que pourriez-vous donc faire ?... Au nom du ciel, ne vous exposez pas à voir un grand homme de dix-neuf ans, sorti du collège hier, et qui ne parle à une femme que si elle a voiture, prendre votre livre, le tordre et s'écrier : « Pas une idée !... »

Mais, en dévoilant tous les dangers qui vous attendent dans cette carrière, vous prendrez de vous-même le parti le plus sage, et vous comprendrez que votre flambeau, tout pur, tout brillant qu'il puisse être à Tours, ferait peu de sensation au milieu des intelligences qui scintillent et s'allument ici à toute heure comme nos becs de gaz. Il n'y a plus de place que pour un soleil. Si j'étais de l'école de Demoustier, je vous comparerais à l'astre des nuits ; mais notre style précieux est, ma foi, bien autre chose !...

Si j'ai le courage d'entreprendre une tâche aussi

lourde, c'est, je vous l'avouerai, que j'ai trouvé le moyen de vous transporter toute la responsabilité de cette analyse. Je me contenterai de dresser l'inventaire de nos richesses et de nos pauvretés intellectuelles, avec le calme d'un notaire qui ne pense qu'à ses vacations ; et vous jugerez vous-même de la valeur des choses. Ce sera comme une vente après décès, où, par le plus ou moins d'usage que faisait le défunt de ses hardes, de ses meubles, de ses livres, un observateur en découvre les goûts. Ici le mort est le public ; car je crois, Dieu me pardonne, qu'il n'existe plus. Cela devait arriver. En France tout le monde a voulu être un grand homme en littérature, comme naguère chacun voulait être colonel. Le parterre a tout-à-coup sauté sur le théâtre. Il ne s'est trouvé que des coupables et plus de juges. Il est cependant bien plus commode de dire des niaiseries en jugeant, que d'en écrire en composant. Mais, que voulez-vous ! cette manie a une cause. Aujourd'hui, un homme qui ne fait pas un livre est un impuissant. Aussi chacun s'est empressé de prouver qu'il a, comme dit Sainte-Beuve, *des esprits au complet.* Vous voyez le duc de Guiche écrire sur les chevaux, *sermone pedestri,* le pair de France le plus encroûté a publié sa brochure, et, vous-même, vous avez médité, sans doute, quelque *Ourika* de province, qui m'a valu la lettre à laquelle je réponds en ce moment.

Alors, madame, il n'est plus resté qu'un vieux public blasé, les gens de l'orchestre : vieillards blancs, militaires impériaux, carrés dans leur redingote, ayant des boucles d'oreilles d'or, des queues noires, des moustaches grises ; gens difficiles à toucher, gens connaissant l'Asie, l'Afrique, la Russie, l'Espagne, l'Italie et ne s'abusant pas sur un pays de fabrique ; puis encore quelques émigrés réveillés d'hier, des femmes légères, des douairières pesantes, des femmes de chambre devenues comtesses, des madame Angot qui prennent Robinson pour un jacobin. Tout-à-coup, cette société a été mise, comme l'empereur Claude, sur le tribunal souverain. Elle est devenue un public tout neuf et tout usé ; mais ce public s'est trouvé puissant parce qu'il était immobile et compact. Aussi a-t-il été insensible à toutes les cajoleries des écrivains qui foisonnaient autour de lui, parce qu'il a la manie d'acheter les bons livres. C'est lui qui a eu la simplicité de prendre soixante mille exemplaires de Lamartine et quarante mille exemplaires de Béranger. C'était une puissance à flatter : aussi, tout en l'insultant, chacun a essayé d'en obtenir un regard.

D'abord, quelques auteurs ont imaginé de le piquer pour le réveiller ; les auteurs l'ont pris par les sentiments en se disant morts de la veille ; puis plusieurs l'ont chatouillé. Il est demeuré comme un vieux sultan, perdu de débauche, étalé sur son divan, pas plus ému de voir tomber des têtes que de contempler des monstres sans sexe. Alors, chaque auteur a eu l'idée de se construire un petit public à son usage, de se préparer sa gloire, de se tresser sa couronne en famille. De là est venue l'institution de l'*encensement mutuel* ou la camaraderie. Un Prométhée a surgi, qui a eu l'idée d'improviser un nouveau public à côté du vieux, espérant que ce dernier se fâcherait et s'occuperait d'une si audacieuse spéculation. Néant ! Le public a regardé son sosie applaudissant un drame pendant vingt soirées, sans daigner seulement saluer cet homme qui se produit comme un 89 littéraire, et s'imagine commander à un mouvement plus fort que lui.

Vous viendriez donc au milieu d'une crise sans exemple, et au moment où le public manque aux auteurs, où la littérature est mesquine devant la politique, où la poësie succombe sous les événements ; vous arriveriez au milieu de charlatans qui ont tous un paillasse, une grosse caisse, une clarinette, et vous seriez seule avec quelque ouvrage naturel, parmi des gens qui font des tours de force et montrent des pancartes signées par tous les souverains de l'Europe. Je ne sais quel roi donne à cet auteur glacial la croix du Sud ; cet autre, petit et chétif, a la décoration du Lion ; le pape accorde l'Eperon d'or à un homme qui, depuis dix ans, n'a pas su faire avancer la science ; l'Etoile polaire arrive à un chaud patriote, et l'ordre du Mérite à un libelliste qu'on ne salue plus. Enfin, le moindre cacographe est membre d'une société savante, et ceux qui ne savent rien ou ne peuvent pas écrire comptent les fontaines de Paris, examinent la couleur des numéros que le préfet impose aux maisons, et se prétendent occupés de statistique ; car la statistique est devenue à la mode, et c'est une position que de statistiquer.

Probablement, une oisiveté de quinze années nous pèse, et nous avons une impatience d'avenir qui nous fait tous piaffer, caracoler, tout essayer, tout laisser. C'est toujours cette même France, constante dans son inconstance, difficile à captiver. Sa littérature n'a pas de but : voilà le grand mot. Elle n'a rien à démolir, rien à construire. Nous avons mis la poësie dans la prose, et nous sommes tout étonnés de ne plus avoir de poësie ; nous avons fatigué toutes les situations, et nous voulons du drame ; nous ne croyons plus à rien, et nous voulons des croyances. Bref, un homme de génie est presque impossible au milieu d'une foule aussi puissamment intelligente. Napoléon commandait à des soldats silencieux, tandis qu'en littérature chacun s'adresse à des gens qui raisonnent. Or, quand chacun en sait assez pour se faire une opinion, il n'y a plus d'unité possible dans les doctrines, chaque homme est une opinion ; nous voulons tous notre piédestal. Vous voyez, madame, qu'il me sera bien difficile de vous satisfaire.

Il est cependant un principe d'une haute importance que je puis vous inculquer. Cette théorie sera le premier chapitre des Instructions que vous avez eu la bonté de me demander.

En littérature, nous avons aujourd'hui, madame, une sorte d'étiquette à laquelle doivent se soumettre la personne et le livre d'un auteur. En un mot, il y a un costume à la mode, et ceci, je crois, est ce qui vous paraîtra le plus important. Il ne s'agit encore ni du style, ni des idées, ni du plan, ni du titre de votre livre, mais de la forme sous laquelle vous devez vous produire. Dieu me garde de percer le mystère dont vous enveloppez votre acte de naissance ! Mais cependant, apprenez que l'âge d'un auteur est, en ce moment, une question d'un haut intérêt. Nous aimons les fruits verts. Un jeune homme à peine débarrassé des langes universitaires, une jeune fille qui n'a pas encore fait sa première communion sont presque certains de captiver l'attention du public. La littérature a ses Litz, ses Jules Regondi, ses Léontine Fay, qui sont censés quitter polichinelle pour faire des chefs-d'œuvre. Cette manie de jeunesse est peut-être un signe de décrépitude ; ou plutôt, le siècle n'étant pas encore majeur, il lui faut sans doute ses menins. Quoi qu'il en puisse être, nous avons la *jeune France,* de *jeunes hommes,* et nous voulons de jeunes idées, de jeunes livres, de jeunes auteurs. Aussi tout à coup les jeunes bambins se sont faits vieux, et nous avons été assaillis de grands enfants précoces : M. Victor Hugo, par exemple, était encore un *enfant sublime* le jour de son mariage. Vous rencontrez un homme en faux toupet que les journaux signalent comme un talent d'une haute espérance. M. Cousin est toujours *ce jeune professeur qui,* etc. Vous avez vu dans le salon de M. D… un gros garçon, espèce d'Hercule Farnèse à face de Silène, sans vous douter que c'était l'auteur d'un recueil de poësies, annoncé comme les premiers essais d'une jeune muse. Un de nos bons amis m'a dit avoir assisté à la délibération sérieusement bouffonne, où les conseils de mademoiselle E… M…

ont décidé qu'elle aurait seize ans dans sa préface et vingt-cinq ans chez elle. Cet innocent charlatanisme a ses procédés, ses ressorts et sa boîte à fard. Vous m'avez demandé si M. Sainte-Beuve, ce critique si remarquable, n'était pas un vieux Rollin, un père Lebeau, en même temps que vous vous épreniez de belle passion pour l'infortuné Joseph Delorme... Voilà le secret d'être jeune ! A qui persuaderiez-vous que ces deux hommes sont le même auteur ? Joseph Delorme !... ce nom n'éveille-t-il pas des idées de jeunesse ? La castration des noms est donc une ruse à laquelle nous sommes tous pris. Est-ce que Jules de Rességuier vous fait l'effet d'un homme qui a femme et enfants, et qui juge des procès assis dans son fauteuil au Conseil d'Etat ? Vous avez beau vous nommer madame la comtesse d'O...t, si vous voulez être à la mode, vous signerez Jenny... Eussiez-vous quarante ans, nous accueillerons votre livre comme l'essai d'une jeune femme en qui le talent est inné.

Si vous vous nommiez *monsieur* ou *madame,* vous auriez l'air vieux ; présentez-vous avec votre nom de baptême, vous semblez jeune. La lithographie est complice de cette innocente tromperie. Les auteurs se font pourtraire, le col nu, les cheveux bouclés ; vous les prendriez pour de jeunes filles et vous les rencontrez à chaque étalage, les uns jouant sur des canapés, les autres perdus dans les nuages. Ils antidatent leurs figures et postdatent leurs livres. Ce sont des embryons qui font des œuvres posthumes.

Dans ma prochaine lettre, je vous expliquerai ce que c'est qu'un livre, un ouvrage ou une œuvre d'art. Je vous mettrai au fait, non pas de la mode qui règne aujourd'hui, mais de celle qui viendra l'année prochaine. Je vous apprendrai une poëtique toute nouvelle. Vous choisirez entre la *phrase* sans idées, ou les *idées* sans la phrase, entre la *couleur* ou le drame, le *fantastique* ou le réel, entre un livre d'homme ou une pochade, entre l'intérêt de curiosité ou la beauté des détails. Mais, avant de vous écrire cette espèce de *Cuisinière bourgeoise* de la littérature moderne, je serai forcé de vous tracer un tableau qui comprendra toutes les productions remarquables de notre époque. Pour vous décrire la maladie à laquelle nous sommes en proie, il est nécessaire de vous peindre les phases que notre goût a subies, les gens qui l'ont corrompu, et ceux qui veulent le restaurer. Nous jetterons un coup d'œil sur l'Empire, et, après avoir vu ces ruines de Palmyre, je vous introduirai dans le sanctuaire de chacun de nos petits grands hommes...

Daignez agréer, madame, les hommages d'une vieille amitié.

La Mode,
29 mai 1830
(signé H.).

TABLE

Dans la même collection

OSCAR WILDE

Le déclin du mensonge
Préface de Dominique Fernandez

JULIEN GRACQ

Proust considéré comme terminus
suivi de
Stendhal, Balzac, Flaubert, Zola

JULES BARBEY D'AUREVILLY

Contre Diderot
Préface de Hubert Juin

LÉON BLOY

Sur J.-K. Huysmans
Préface de Raoul Vaneigem

MAURICE BLANCHOT

Sade et Restif de la Bretonne

CHARLES BAUDELAIRE

Pour Delacroix
Préface de René Huyghe,
de l'Académie Française

THOMAS MANN

Traversée avec Don Quichotte
Préface de Lionel Richard

GUY DE MAUPASSANT

Pour Gustave Flaubert
Préface de Maurice Nadeau

MARCEL PROUST

Sur Baudelaire, Flaubert et Morand
Préface d'Antoine Compagnon

JOHN RUSKIN

Sésame et les Lys
Traduit de l'anglais par Marcel Proust
précédé de

Sur la lecture
de Marcel Proust
Préface d'Antoine Compagnon

HENRY JAMES

Sur Maupassant
précédé de

L'art de la fiction
Préface d'Évelyne Labé

HENRI-FRÉDÉRIC AMIEL

Du Journal Intime
Préface de Roland Jaccard

JEAN PAULHAN

Paul Valéry
ou
La littérature considérée comme un faux
Préface de André Berne-Joffroy

JEAN PAULHAN

Le Marquis de Sade et sa complice
ou
Les revanches de la pudeur
Préface de Bernard Noël

LOUIS-FERDINAND CELINE

Le style contre les idées
Préface de Lucien Combelle

MAURICE BLANCHOT, JULIEN GRACQ
et J.-M.G. LE CLÉZIO

Sur Lautréamont

MAURICE BARRÈS

Greco
ou le secret de Tolède
Préface de Jean-Marie Domenach

GEORGES SIMENON

L'âge du roman
Préface de Jean-Baptiste Baronian

WITOLD GOMBROWICZ

Contre les poètes
*Préface de Manuel Carcassonne
et Christophe Guias*

MARCEL PROUST, ANDRÉ GIDE

Autour de *La Recherche*
— Lettres —
Préface de Pierre Assouline

ROGER VAILLAND

Le Surréalisme contre la Révolution
Préface d'Olivier Todd

OSCAR WILDE

La critique créatrice
Présentation et traduction de Jacques de Langlade

PAUL GAUGUIN

Noa-Noa — Séjour à Tahiti

Préface de Victor Segalen

ALEXANDRE DUMAS

Voyage en Calabre
Préface de Claude Schopp

Prosper MÉRIMÉE

Lettres d'Espagne
Présentation de Gérard Chaliand

Gustave FLAUBERT

Voyage en Bretagne
Par les champs et par les grèves
Précédé de

Souvenirs
par Maxime Du Camp
Présentation de Maurice Nadeau

Jean-Baptiste LABAT

Voyage en Italie
Préface de Paul Morand

Alexandre ZINOVIEV

Mon Tchékhov

Kenneth WHITE

Le monde d'Antonin Artaud

Pierre MERTENS

L'agent double
Sur Duras, Gracq, Kundera, etc...

Émile ZOLA

Du roman
Sur Stendhal, Flaubert et les Goncourt
Préface de Henri Mitterand

Émile ZOLA

Pour Manet
Préface de Jean-Pierre Leduc-Adine

Émile ZOLA

Face aux romantiques
Préface de Henri Mitterand

ÉMILE ZOLA

L'encre et le sang
Littérature et politique
Préface de Henri Mitterand

BENJAMIN FONDANE

Rimbaud, le voyou
Préface de Michel Carassou

ÉMILE VERHAEREN

Sur James Ensor
Suivi de

Peintures
par James Ensor
Présentation de Luc de Heusch

ANTOINE BLONDIN

Devoirs de vacances

ALEXANDRE DUMAS

Sur Gérard de Nerval
Nouveaux Mémoires
Préface de Claude Schopp

JULES BARBEY D'AUREVILLY
CHARLES BAUDELAIRE

Sur Edgar Poe
Présentation de Marie-Christine Natta

JACQUES TOURNIER

A la recherche de Carson McCullers
Retour à Nayack

HIPPOLYTE TAINE

A Rome
Voyage en Italie I
Présentation d'Émile Zola

HIPPOLYTE TAINE

D'Assise à Florence
Voyage en Italie II

HIPPOLYTE TAINE

A Venise
Voyage en Italie III

PIERRE LOTI

Constantinople fin de siècle
Préface de Sophie Basch

GUSTAVE FLAUBERT

La Bêtise, l'art et la vie
– En écrivant Madame Bovary –
Édition établie par André Versaille

HENRI DE RÉGNIER

Esquisses vénitiennes
Présentation de Sophie Basch

EDMOND ET JULES DE GONCOURT

L'Italie d'hier
Présentation de Jean-Pierre Leduc-Adine

FRANCIS SCOTT FITZGERALD

De l'écriture
Textes réunis et présentés par Larry W. Phillips,
traduits de l'américain par Jacques Tournier
Préface de Franz-Olivier Giesbert

EUGÈNE FROMENTIN

Rubens et Rembrandt
– Les Maîtres d'autrefois –
Préface d'Albert Thibaudet

NICOLE AVRIL, FRANÇOIS-RÉGIS BASTIDE,
JACQUES CHESSEX, BERNARD FRANK,
J.-M.G. LE CLÉZIO, JEAN D'ORMESSON,
ROBERT SABATIER, PHILIPPE SOLLERS

Les huit péchés capitaux
Présentation de Jérôme Garcin

PIERRE MAC ORLAN

Toulouse-Lautrec peintre de la lumière froide
Préface de Francis Lacassin

LUC DE HEUSCH

Ceci n'est pas la Belgique
Sur Alechinsky, Dotremont, Ensor, Magritte, Reinhoud, Vélasquez, etc.

MICHEL LE BRIS e.a.

Pour une littérature voyageuse

ROBERT LOUIS STEVENSON

A travers l'Écosse
Préface de Michel Le Bris

GEORGE SAND

Promenade dans le Berry
— Mœurs, coutumes, légendes —
Préface de Georges Lubin

GUY DE MAUPASSANT

Sur l'eau
— Cannes, Saint-Raphaël, Saint-Tropez —
Préface de Henri Mitterand

GUY DE MAUPASSANT

En Sicile
Préface de Henri Mitterand

GUY DE MAUPASSANT

De Tunis à Kairouan
Préface de Henri Mitterand

A Paris !
de Honoré de Balzac
est le cinquante-neuvième
titre de la collection *Le Regard
Littéraire,* Composé en Times, ce texte
a été achevé d'imprimer le dix février mil
neuf cent quatre-vingt-treize sur les
presses de l'imprimerie Campin à
Tournai pour le compte des
Éditions Complexe, sises
vingt-quatre rue de Bos-
nie à mille soixante
Bruxelles.

n° 494